BLACKWELL'S GERMAN TEXTS

General Editor:

JAMES BOYD

Emeritus Taylor Professor of German Language and Literature
Fellow of The Queen's College, Oxford

BLACKWELL'S GERMAN TEXTS

General Editor : JAMES BOYD

FRIEDRICH HEBBEL

HERODES UND MARIAMNE

Edited by EDNA PURDIE

PROFESSOR OF GERMAN IN THE
UNIVERSITY OF LONDON

BASIL BLACKWELL · OXFORD

1965

FIRST PRINTED 1943

SEVENTH IMPRESSION 1965

PRINTED IN GREAT BRITAIN
FOR BASIL BLACKWELL & MOTT LTD.
BY THE COMPTON PRINTING WORKS (LONDON) LTD., LONDON, N.I
AND BOUND BY
THE KEMP HALL BINDERY, OXFORD

INTRODUCTION

I

„ So, wie bei diesem Werk," wrote Hebbel of *Herodes und Mariamne*, „stürmte es noch nie in meiner Brust; so fest hielt ich dem Sturm aber auch noch nie die Stange! Was ich Rötscher gestern schrieb, wiederhol' ich heute: dieß wird ein höchstes oder ich werde nie so weit kommen."[1]

This utterance was doubtless in the main the outcome of that mood of creative vigour which Hebbel recorded during the composition of every one of his major dramas ; but it has long been recognized by those who know these dramas well that *Herodes und Mariamne* does indeed sound a fresh note of mastery. Whether we consider it to be the poet's masterpiece or no—and only *Gyges und sein Ring* can match it in subtle characterization, or *Die Nibelungen* in spacious conception—it reveals aspects of Hebbel's tragic art that admit him at once to the company of great dramatic poets. For penetrating delineation of character and situation, for impressive presentation of tragic necessity, for strength and compactness of dramatic structure and for mastery of stagecraft, *Herodes und Mariamne* can bear comparison with any other of the outstanding tragedies of the nineteenth century. Moreover, within the established form of poetic drama and the limitations of a historical setting it presents a tragic problem valid for every age, and not least for that modern age which is heralded in Hebbel's plays. *A Doll's House* is not more clearly a tragedy of marriage; *The Father* hardly more plainly a study in possessiveness. But at the same time the two central figures of Hebbel's play are

[1] Letter to Eduard Janinski, Aug. 14, 1848. *Briefe*, ed. R. M. Werner (*Sämtliche Werke*, III^te Abteilung), vol. iv, p. 129.

cast in the heroic mould of older tragedy; greatness
characterizes them and their conflict. In this, as in much
else, Hebbel stands between the old age and the new.

2

When Hebbel began to write *Herodes und Mariamne* he
had already achieved a measure of fame. He was the
author of three tragedies which had attracted some praise
and much censure, but in any case a considerable amount
of attention: *Judith* (1840), *Genoveva* (1841, published
1843), and *Maria Magdalena* (1844). One comedy, *Der
Diamant*, had fallen rather flat; several short tales had
appeared, without creating much stir, at different times
in different periodicals. A constant though not very
voluminous stream of lyric poetry had accompanied this
production of dramas and *Novellen*. Beset by difficulties
in childhood and adolescence, Hebbel found his proper
medium comparatively late; he was twenty-seven when
Judith appeared. He was then living on borrowed money,
and indeed until King Christian VIII of Denmark granted
him a travelling bursary in 1843 he had no money of his
own. With the grant of this bursary—at the end of a
dreary winter of illness in Copenhagen, during which he
began to write *Maria Magdalena*—the outlook improved.
Hebbel set out on his travels, on the „ Bildungsreise "
which was to take him to Paris, and afterwards to Italy,
and so complete his poetic education. The years of travel
were less productive than the preceding ones; the poet,
as can be seen from his diary and his letters, was busy
absorbing impressions and reflecting on experience. His
main achievement was to finish *Maria Magdalena* in
Paris. But *Julia*, begun in Naples in the summer of 1845,
did not progress beyond the first act. The emotional and
practical complications of his relationship with Elise
Lensing (now clearly becoming a problem for which no

satisfactory solution could be found) dominated his mind to the detriment of such creative energy as was left him in a southern climate; and he was nearly at the end of his resources when in October, 1845, he left Rome for Vienna, the first stage of his return to Germany. In Vienna he met, by a chance introduction, Christine Enghaus, an actress at the Burgtheater who greatly admired his work; soon after this he became engaged to her, and they were married in the spring of 1846. Thus swiftly his life took a decisive turn; and the moment also marks the opening of a new phase of his poetic development. The two minor works for which the seed was sown in Italy—*Julia* and *Ein Trauerspiel in Sicilien*—occupied him through the winter of 1846-7. The second was completed by February, 1847; but of *Julia* Hebbel wrote that it was to await its final scene until another drama had preceded it.[1] This new drama was *Herodes und Mariamne*.

A note in Hebbel's journal in December, 1846, is the first decisive indication of his plan: " Herodes und Mariamne. Tragödie, aber natürlich das ganze Leben des Herodes umfassend."[2] On February 23, 1847—nine days after the sudden death of the son who had been born at the end of December—he records „die Mariamne begonnen,"[3] and three days later: „An der Mariamne wird fortgefahren. Arbeit ist Alles."[4] The tragedy thus begun in time of grief was finished in a period of violent political upheaval. On November 14, 1848, Hebbel recorded its completion in his diary; the last act was written with the sound of the bombardment of Vienna in his ears. The great scene between Mariamne and Titus, he wrote in his journal, was the product of the „Wiener Schreckenszeit" ;[5]

---

[1] Letter to Felix Bamberg, Feb. 26, 1847. *Briefe, ed. cit.,* vol. iv, p. 12.
[2] *Tagebücher*, ed. R. M. Werner, iii, 3837.
[3] *Ibid.*, 3984.　　　　[4] *Ibid.*, 3985.　　　　[5] *Ibid.*, 4461.

and in a letter to Gustav Kühne a week later we find some indications of the process: „Während der ärgsten Tage des Bombardements und der Einnahme der Stadt, habe ich den fünften Act einer großen historischen Tragödie geschlossen, an der ich seit zwei Jahren gearbeitet habe. Nicht zu Hause, im Zimmer; da mache ich nie etwas. Sondern auf der Straße, wie ich immer thu', und die Haupt=Scene während der letzten Kanonade, die übrigens mit außerordentlicher Virtuosität executirt wurde. Sehen Sie hierin keinen Egoismus. In Sicherheit ist in solchen Momenten Niemand; in einer bombardirten Stadt giebt es so wenig verassecurirte Plätze, wie auf einem scheiternden Schiff . . . Es war ein einfaches Mittel meiner Natur, sich vom Druck des Elements zu befreien und ich muß es für ein Glück halten, daß ich an diesem Werk, in dem ich das, was meine Vorgänger im Deutschen Drama ihr Meisterstück zu nennen pflegten, geliefert zu haben hoffe, noch etwas zu thun hatte." [1] The actual composition of *Herodes und Mariamne* thus occupied twenty-one months. It was by no means an uninterrupted process. The vigour which carried the poet through the first act (finished on March 24, 1847 [2]) waned in the succeeding months; the death in May of Elise Lensing's second child in Hamburg, her visit, with all its implications, to the Hebbel household in Vienna, journeys to Graz and to Berlin, all inhibited the delicate process of poetic creation, and it is not until December that we find the completion of Act II recorded.[3] The birth of a daughter three days later brought with it further anxieties and hindrances: „Die Tragödie geht darüber in die Brüche," Hebbel writes on January 15, 1848, „und wie viele Pläne mit ihr!"[4] In March the tide of revolution rose in Austria, and European affairs

---

[1] Letter to Gustav Kühne, Nov. 21, 1848. *Briefe, ed. cit.,* vol. iv, p. 136.   [2] *Tagebücher, ed. cit.,* iii, 4115.
[3] *Ibid.,* 4334, Dec. 22, 1847.   [4] *Ibid.,* 4349.

occupied the poet's mind. He did not fail to note in his diary a minor consequence of the political changes—the acceptance of his own plays for the Burgtheater now that the strict censorship had passed. But the pleasure of this belated recognition was outweighed by anxiety: „Mir ſchmeckt das Ei nicht, das der Weltbrand geröſtet hat."[1] Stray entries in Hebbel's journal during the next few months show that his thoughts were on *Herodes und Mariamne*,[2] but it was not until August that he recorded a genuine revival of the creative mood: „Die letzten 14 Tage, vorzüglich aber die allerletzten 3 bis 4, habe ich mich einmal wieder ſo recht Poet gefühlt. Der 4te Act der Mar: iſt entſtanden bis auf Weniges. So ſtrömte es in mir zur Zeit der Genoveva."[3] The mood was disturbed by passing irritations (see below, p. 159, note on l. 2452), but set in again under the stimulus of danger and excitement and held until the tragedy was finished. Soberly but confidently Hebbel wrote: „Ich glaube, einen Fortſchritt gemacht zu haben."[4]

Negotiations for the production of the play began immediately, and it was performed at the Burgtheater on April 19, 1849, with Christine Hebbel in the rôle of Mariamne. But the hope which its author had frequently expressed that this play would bridge the gulf between the public and himself [5] was not fulfilled. Hebbel's

[1] *Tagebücher*, ed. cit., iii, 4380, March 28, 1848.

[2] Cp. *ibid.*, 4403, 4424.

[3] *Ibid.*, 4431, Aug. 9, 1848. In a letter to Felix Bamberg of Aug. 22, Hebbel stated that in the last fortnight he had written the third and fourth acts „in einem Zuge" and again compared this creative energy with that which he had experienced in writing *Genoveva* (*Briefe, ed. cit.*, vol. iv, pp. 131 f.).

[4] *Tagebücher, ed. cit.*, iii, 4461.

[5] Hebbel wrote in this sense to Felix Bamberg on Feb. 3, 1849 (*Briefe, ed. cit.*, vol. iv, p. 145). Cp. also letters to Bamberg of May 27 and Nov. 10, 1847 (*ibid.*, pp. 36, 63) and letters to Ludwig Gurlitt, May 20, 1847 (*ibid.*, p. 26) and Eduard Janinski [?], Nov. 15, 1847 (*ibid.*, p. 66).

immediate impression of the performance is set down in his
diary: „Das Spiel war vortrefflich, die Inscenirung
glänzend, die Aufnahme im höchsten Grade kühl. Das
Publicum war sichtlich nicht im Stande, der Composition
zu folgen, auch spielte das Stück zu lange, bis ¾ auf 11 Uhr.
Das Verwirrende lag für die Masse der Zuschauer in dem
zweiten Moment des Dramas, in dem historischen, dessen
Nothwendigkeit bei der großen Gleichgültigkeit der Meisten
gegen alle und jede tiefere Motivirung sie nicht begriffen."
Christine's magnificent acting, he writes, found no appreciation: „Ein schmerzenreicher, qualvoller Abend für mich
als Mensch."[1] In a letter to Gustav Kühne some weeks
later, Hebbel contrasted the reception of *Herodes und
Mariamne* with that recently accorded to *Judith*, and
attributed the lack of success to the fact that the first
performance was on a benefit evening, when the increased
price of tickets brought „ein ganz eigenes Publicum"[2]
together; but he was probably nearer the mark when he
wrote to Charlotte Meinel that „Herodes imponirte, aber
er flößte keine Liebe ein,"[3] and to Bamberg that the
tragedy „bot dem Publicum zu viel auf einmal."[4] He
resolved that in future his plays should be published
before they were performed. Hebbel's experience, though
disheartening enough, was in fact less bitter than Grill-
parzer's had been, and when he wrote to the Director
of the Burgtheater in 1850 to complain of the fact that
repetition of the play had been first postponed and then
abandoned,[5] he had some ground for believing that had
it been given a chance it would have made its way. It

[1] *Tagebücher, ed. cit.*, iii, 4581, April 19, 1849.
[2] Letter to Gustav Kühne, May 30, 1849. *Briefe, ed. cit.*, vol.
iv, p. 160.
[3] Letter to Charlotte Meinel (née Rousseau), Nov. 26, 1849.
Ibid., p. 178.
[4] Letter to Felix Bamberg, Nov. 1, 1849. *Ibid.*, p. 172.
[5] Letter to Heinrich Laube, April 7, 1850. *Ibid.*, pp. 214 f.

was published by Carl Gerold und Sohn at Vienna in 1850; Hebbel notes that the sum of 500 Gulden, which he was to receive for it, was more than he had received for all his previous dramas put together.[1]

3

The main source which Hebbel used for *Herodes und Mariamne* was the work of the Jewish historian Flavius Josephus, the *Antiquities of the Jews* (Book XV, chaps. ii–vii, *passim*). He makes specific reference to Josephus, both in a letter to Bamberg in 1847 and in a later review (written in 1848) of *Ludovico*, a German adaptation by J. L. Deinhardstein of Massinger's *Duke of Milan*,[2] but he makes no definite mention of the *Antiquities*. An earlier work of the same historian, the *Jewish War*, also contains an account of Herod's relations with his wife Mariamne; but this account is different from, as well as much briefer than that in the *Antiquities of the Jews*, and a comparison of the action in *Herodes und Mariamne* with each of the two narratives shows clearly that Hebbel used the more elaborate account in the *Antiquities*.[3]

[1] Letter to Ludwig Gurlitt, Nov. 4, 1849. *Briefe, ed. cit.*, vol. iv, p. 175.

[2] F. Zinkernagel suggests (*Hebbels Werke*, ed. F. Zinkernagel, Leipzig and Vienna [1913], vol. iii, p. 73) that it may have been this adaptation of a play which treated the substance of the story of Herod and Mariamne (but in a different setting) that drew Hebbel's attention to the subject, and stirred him to consider it himself from a dramatic point of view. Hebbel does point out in his review of *Ludovico* (*Sämtliche Werke*, ed. R. M. Werner, Berlin, 1904 ff., vol. xi, pp. 247 ff.) the detrimental effect of Massinger's change of setting, and gives a critical analysis of the historical material which clearly sets out his own interpretation of it.

[3] In his letter to Bamberg (Nov. 10, 1847, *Briefe, ed. cit.*, vol. iv, p. 63) he refers especially to the difficulty of reconciling Herod's behaviour towards Mariamne on the two occasions on which he suspects her of infidelity. In the *Jewish War* both Joseph and Mariamne are put to death on Herod's return from a single expedition to Antony, and this problem would not have arisen.

The earliest German translation of the works of Josephus appeared in 1531, at Strassburg; it was succeeded by several others in the 16th and 17th centuries. In 1736 two massive German versions appeared almost simultaneously: one at Zürich, by J. B. Ott, the other at Tübingen, by J. F. Cotta. A complete translation of the *Antiquities* as a single work did not appear until 1852–3, although there was a German version of Books XI and XII in 1826, and one of Book XIII in 1843.[1] There was also a version (abridged and curtailed in parts) of Books XI–XVIII attached to the translation of the Bible published at Berleburg (Pt. VIII, 1742) as an „Er= gänßung der Jüdischen Hiſtorie der Schrifft"; and there may well have been other partial translations of this kind. It seems more likely, however, that Hebbel used one of the two complete translations—perhaps the version by Cotta may have been the more easily accessible to him.

The following account is given by Josephus in the *Antiquities*:

Herod took as his second wife Mariamne, daughter of Alexander and Alexandra, and grand-daughter of Hyrcanus the high priest. She and her brother Aristobulus thus belonged to the family of the Maccabees. Aristobulus was very comely, and Mariamne was "eminent for her beauty also" (Bk. xv, ch. ii). When Herod made a certain Ananelus high priest, Alexandra took it amiss that her son Aristobulus should be thus slighted, and wrote to Cleopatra to ask her to move Antony to cause the office of high priest to be given to Aristobulus. Antony thereupon sent to desire that the young man should come to him, but Herod prevented this for fear of the consequences; he yielded however to Mariamne's urgent request that he should confer the office of high priest upon her brother, and thus quietened the suspicions of Alexandra and

[1] Cp. J. Fürst, *Bibliotheca Judaica*, Part ii (Leipzig, 1851), pp. 121 ff., and E. Schürer, *Geschichte des jüdischen Volkes im Zeitalter Jesu Christi*, vol. i (2ᵗᵉ Aufl., Leipzig, 1890), pp. 77 f.

appeared to have healed the divisions in his family. But bearing in mind Alexandra's part in this matter, he placed a watch upon her, and commanded her not to meddle with public affairs. Alexandra, impatient and indignant at these restrictions, wrote to Cleopatra, who advised her to escape to Egypt with her son. Alexandra proceeded to contrive their escape by means of two coffins, in which she and her son were to place themselves and be taken by night to the sea-shore, where a ship would take them to Egypt. The plan was betrayed, however, to Herod, who caught them in the act of escape; and although he made pretence of forgiving Alexandra at the time, he resolved to have Aristobulus put out of the way at a convenient season. Opportunity offered at Jericho, when the feast of tabernacles was just over. On a hot day Herod and a party went out to the fish ponds; at Herod's instigation Aristobulus entered the water, and some of the party, by arrangement with Herod, plunged him under water, as if in sport, and kept him there until he was suffocated. There was great grief in the city and among the women; and Alexandra, convinced that her son had been deliberately destroyed, was set upon revenge. Herod affected great sorrow, and arranged for a magnificent funeral.

Alexandra wrote to Cleopatra of the murder of Aristobulus, and Cleopatra gave Antony no rest until he summoned Herod to come and defend himself in the matter. Herod, seeing he must obey this summons, left as procurator Joseph (variously described as his uncle and his brother-in-law [1]) and charged him privately to kill Mariamne in the event of his own death at Antony's hands. He gave as his reason his fear of the injury that would be done him if she should become engaged to another; but in fact he suspected that Antony had already fallen in love with her from accounts of her beauty.

During Herod's absence, Joseph frequently had occasion to converse with the queen, and often spoke of the king's great affection for her. In response to the raillery of the women, and especially of Alexandra, he went so far as to mention the charge he had received from Herod, in order to demonstrate the

[1] See below, p. 153, note on l. 520.

king's love for Mariamne by his inability to endure the thought of separation from her even after his death. But the women took this to be proof, not of Herod's affection, but of his tyranny over them.

A false report of Herod's death now made Alexandra try to persuade Joseph to seek with them the protection of the Roman legions; but the report was soon contradicted by the arrival of letters from Herod announcing a favourable issue to his conversations with Antony. Alexandra's plan of flight was therefore abandoned, but came to Herod's ears through his mother and his sister Salome. The latter, by reason of the ill-will she bore to Mariamne, also accused Joseph of criminal conversation with the queen. Herod's love for Mariamne prevented him from taking rash action against her; but jealousy and affection together caused him to question her about her relations with Joseph. She denied the accusation upon oath, and gradually the king's suspicions were allayed, until in the course of a tender reconciliation, Mariamne alluded to Herod's command to Joseph concerning her death. The king immediately believed the accusation against them, and avenged himself on Joseph by having him put to death without permitting him to come into his sight. He came near to killing Mariamne also, but was restrained by his love for her, though not without lasting grief and disquiet of mind. Alexandra, as the prime cause of mischief, he bound and kept in custody.

Some time after this, Herod prepared to go against the King of Arabia, who had been laggard in paying the tribute which Herod had undertaken to hand over to Cleopatra. At Antony's desire, Herod set out to invade Arabia, but after an initial victory his forces were set upon and overcome, so that he had to encamp among the mountains and rely upon harassing the Arabians. At this time the battle of Actium took place, and a great earthquake in Judea, and the Jewish army was greatly cast down. But Herod encouraged them and led them against the enemy, and finally gained a great victory against the Arabians.

Meanwhile, Hyrcanus, the father of Alexandra, had been

persuaded by her to write to the Governor of Arabia with plans for the future, in case Herod should suffer at Cæsar's hands on account of his friendship to Antony. But his letter and the answer were betrayed to Herod, who therefore had him put to death. He himself hastened to go to Cæsar, but in case Alexandra should take advantage of his difficult situation to stir up sedition in his absence, he divided his household, placing his mother and sister at Massada in the charge of his brother, to whom he committed the care of affairs, and Mariamne with her mother at Alexandrium under the care of his treasurer Joseph and Sohemus of Iturea. These two were very faithful, and received orders from Herod to kill both the women if they should hear that he had come to harm.

Herod's meeting with Cæsar, however, was unexpectedly successful, for by his frankness and independence he gained Cæsar's favour, and returned to Judea with greater honours than ever. But he found Mariamne and Alexandra very uneasy. Mariamne had recollected the command Herod had previously laid upon Joseph, and she tried to please her keepers, especially Sohemus. At first the latter remained loyal to Herod, but the women gained him over by kind words and liberal presents, and at length he disclosed to them all the king's injunctions—chiefly because he anticipated a great diminution in Herod's authority even if he should return, and so wished to gain the favour of the women. He believed moreover that if the king should return successful, his love for his wife was so great that he could not contradict her in anything she desired. Mariamne was greatly displeased, and openly declared later that it was insupportable to her to live any longer with Herod. Thus on the king's triumphant return she was unable to conceal her resentment, and appeared grieved rather than pleased at his success. Herod was greatly perturbed in mind, and constantly alternating between anger and love, often disposed to punish Mariamne for her insolence, but afraid lest he should by putting her to death bring a heavier punishment on himself. Herod's sister and mother, perceiving his state of mind, provoked him by calumnies against her; and although he could not bring himself to act upon them, his passions became more and more inflamed, as did Mariamne's. At this moment he heard news of Cæsar's victory and conquest of Egypt, and made haste to go to meet him. As he was setting out, Mariamne recommended Sohemus to him and asked for a place in the government for him in return for his care of her; and this was granted. Herod was received with great favour by Cæsar and given presents of men and lands; but the prosperity he thus had abroad was matched with his distresses in his own family. For Mariamne, though faithful to him, treated him imperiously, and spoke unkindly and slightingly of his mother and sister. And these dissensions increased for a whole year after Herod's return from his visit to Cæsar. But one day things came to a head. The king summoned Mariamne to him as he was resting, and she reproached him for causing the death of her father [grandfather] and brother. When Salome observed the great disturbance of Herod's mind, she sent in his cup-bearer with a tale (prepared long beforehand) that Mariamne had given him presents and had persuaded him to give the king a lovepotion. He added that he did not know its effects—thus suggesting poison to the king's mind. Herod in great anger ordered Mariamne's faithful eunuch to be tortured to extract information about the potion; but nothing could be learnt from him save that Mariamne's hatred had been caused by something Sohemus had said to her. Herod was immediately convinced that the hitherto faithful Sohemus could only have betrayed his charge in intimate intercourse with Mariamne, and he caused him to be seized and slain immediately. He allowed Mariamne to take her trial; but he got together a court of those that were most faithful to him, and made an elaborate accusation against her in the matter of the potion. Seeing his unrestrained passion, the court passed the sentence of death he so plainly desired. It was then suggested that the sentence should be commuted to imprisonment, but Salome and her party exerted themselves greatly to persuade the king to have her put to death, and Mariamne was led to execution. She died with unshaken firmness, but Alexandra changed her behaviour entirely, and took sides against Mariamne in order to escape a similar fate. After the queen's death, Herod's love for her revived exceedingly; he was conquered by his passion so far that he would order his servants to call for Mariamne as if she were still alive and could still hear them. And his grief was such that he fell into a dangerous illness.

Hebbel's attitude towards his source was a characteristic one. He spared no pains and shunned no modifications to make the sequence of events comprehensible and convincing. Two main difficulties confronted him in the historical narrative: the monstrous claim of Herodes to dispose of Mariamne's life in the event of his own death, and the repetition both of Herodes' secret command—that she should be put to death if he did not return—and of the betrayal of this order to Mariamne. To make the command intelligible and the repetition probable was a task demanding extreme dramatic skill. „Anfangs glaubte ich," he wrote to Bamberg, „den Stoff eben seiner Reichhaltigkeit wegen verschmähen zu müssen ... Doch bin ich nun schon belehrt, daß noch genug zu thun übrig bleibt, denn fast kein Element kann gebraucht werden, wie es ist, wenn nicht ein widersinniges Stück entstehen soll."[1] When he came to deal with it, the material did indeed appear to him fantastically improbable: „Was es übrigens heißt, einen fast phantastischen Stoff auf die derbste Realität zurück zu führen, ahnt man nicht, wenn man's nicht selbst versucht hat."[2]

Both difficulties in the material arose from recorded actions. Hebbel turned, as always, to character as the source of action, and found the means to solve the problems in the intimate analysis of character. The significance of an entry in his diary on March 4, 1847, is only clear if this is borne in mind: „Dieß Königsbild kann

[1] Letter to Felix Bamberg, Nov. 10, 1847. *Briefe. ed. cit.*, vol. iv, p. 63.
[2] *Tagebücher. ed. cit.*, iii, 4334, Dec. 22, 1847.

etwas werden, in den Character des Herodes hinein ist
aber auch die ganze Bedeutung des Dramas zu legen."[1]
The claim of Herodes to Mariamne's life appears in the
tragedy not as the extreme expression of the customs
of a far-off despotic age, but as the inevitable outcome
of the elements commingled in the character of the king.
Every incident of the audience scene at the opening of the
play, every hyperbolic utterance of Herodes in connection
with Mariamne, skilfully contributes to the picture of a
man dominated by an absorbing passion, towards which
all his powers of mind and will are bent; thus the significant question in ll. 420–21 is only the more precise expression of a frame of mind which has been gradually
making itself plain. Mariamne's repudiation of his demand,
equally characteristic and equally absolute, leads directly
to the decision of Herodes in scene 4: „Mir schwurst Du
Nichts, Dir will ich Etwas schwören: / Ich stell' Dich unter's
Schwert." A similar process of intensification leads Herodes
to his second resolve in Act III, scene 6 (ll. 1948–55), when
the disastrous betrayal of his order has caused Mariamne
to assert with all possible emphasis her right to an existence independent of his will. Driven now by fear as well
as jealousy, Herodes yields to the logic of his own words
and actions, although he recognizes that they have been
extreme. To retreat would be to abandon the test for the
sake of which he has now sacrificed Mariamne's confidence,
and thus he is held fast in the chain that he has forged.
Nor can he escape the consequences of the vengeance
which Mariamne chooses; the swiftness of the sentence
which he causes to be pronounced against her and the
nature of his remorse when the truth is revealed to him, too
late, express the same deep instincts of passion and

[1] *Tagebücher, ed. cit.*, iii, 4004. Cp. also letter to H. Th.
Rötscher, Dec. 22, 1847, where he speaks of „dem Entschluß des
Herodes, aus dem Alles entspringt" (*Briefe, ed. cit.*, vol. iv, p. 74).

power which first impelled him to claim an absolute control over her destiny. As in the course of the tragedy these instincts become increasingly dominant, the estrangement between the king and Mariamne grows, until at last, as she clearly sees, there is no ground on which trust can be restored. Thus it is through the gradual disclosure of the mental processes and the passionate love of Herodes, and of his reactions to Mariamne's reticent but resistant pride, that Hebbel makes intelligible the former's assertion of an absolute claim. The jealous despot of Josephus' narrative is transformed into a complex human being. With extreme skill Hebbel uses numberless indications of the king's character offered in different parts of his source, to show the springs of an action which in the narrative of Josephus appeared only as one more of the violent decisions of an absolute ruler. „So verzeiht Herodes nach dem Josephus der Mariamne den erſten Ehebruch und verurtheilt ſie zum Tode wegen des zweiten," Hebbel wrote to Bamberg; „kann es etwas Abgeſchmackteres geben und liegt nicht klar zu Tage, daß der Geſchichtſchreiber entweder über den Character ſeines Helden oder über die Begebenheit durchaus ununterrichtet war?"[1]

The second difficulty which Hebbel felt in the narrative of Josephus was also psychological. „Ferner theilt Joſeph, der Vice-Regent, der Mariamne es als einen Beweis von der Liebe des Herodes mit, daß er ihm bei der Abreiſe nach Rom den Befehl hinterlaſſen hat, ſie zu enthaupten, falls er nicht wiederkehre. Läßt ſich annehmen, daß ein Menſch ſo dumm ſeyn kann, das zu thun, und wenn, daß Herodes ihn mit einem ſo wichtigen Auftrag betrauen wird?"[2] This knot was hard to cut. In his diary Hebbel wrote of „dieß verrückte Motiv,"[3] and of the difficulty

[1] Letter to Felix Bamberg, Nov. 10, 1847. *Briefe, ed. cit.*, vol. iv, p. 63.
[2] *Ibid.*   [3] *Tagebücher, ed. cit.*, iii, 4334, Dec. 22, 1847.

of making the betrayal convincing. Again he created a situation in which two characters react on one another. Fear for himself, and the desire to enhance his own importance as Herodes' confidant and deputy, combine to drive Joseph into putting a hypothetical case to Mariamne which fatally recalls the king's own arguments to her quick mind and retentive memory (ll. 1341–2). The skilful delineation of Joseph in Act I, scene 5 and Act II, scene 4, leads up to this moment as much as does the more detailed characterization of the queen. It is, as Hebbel himself wrote in 1847, a question of the relative powers of the two individuals: „ein Joseph ist, einer Mariamne gegenüber, eben seiner Klugheit wegen verloren; wäre sie seines Gleichen, hätte er in seinem Ich einen Maaßstab für das Ihrige, so könnte sie ihm nicht entrinnen."[1]

In Hebbel's treatment of the difficult incident of the second disclosure of Herodes' command, the action rests again on the basis of character. If it was Mariamne's mental superiority which surprised Joseph into betraying the king's secret order in Act II, it is her moral integrity, her insistence on obedience to Herodes' will in face of the report of his death, which conquers his second deputy, Soemus, in Act IV, and moves him to the revelation which kills her trust for ever. And from now onwards till the moment of her death Mariamne dominates the action by her spiritual force. Josephus relates, indeed, that Mariamne went unshaken to her death, and he adds that she had greatness of soul, but that she lacked moderation "and had too much of contentiousness in her nature"[2]; but there is little suggestion otherwise in the

[1] Letter to H. Th. Rötscher, Dec. 22, 1847. *Briefe, ed. cit.*, vol. iv, p. 73.

[2] *Antiquities of the Jews*, Book XV, ch. vii (translated by W. Whiston, revised by A. R. Shilleto, Bohn's Standard Library, vol. iii, London, 1889, p. 115).

Jewish historian's narrative of the magnificent and dominant personality which Hebbel created.

The poet himself, in a delicate analysis of her feelings and motives, rejected the judgment that Mariamne's behaviour was irrational: „Ich glaube nicht, daß man den Schlüssel im Dämonischen zu suchen braucht. Sie muß schweigen, weil es, wenn sie spricht, von Herodes kein Verdienst mehr ist, daß er den im ersten Act gegebenen Befehl im dritten nicht wiederholt ... Wie soll sie dann aber zu der ihr nothwendigen Ueberzeugung gelangen, daß er angefangen hat, sie als Person zu betrachten, von der er ein Opfer nur hoffen und erwarten darf, und daß er aufgehört, sie als ein Ding zu behandeln, von dem er das Opfer erzwingen könne? Es giebt zu dieser Ueberzeugung nur einen Weg, und darum ist auch die Wiederkehr derselben Situation unbedingt nöthig. Später kann sie ihr Schweigen noch weniger brechen, denn sie vermag so wenig mehr mit, als ohne Herodes zu leben, sie vermag ihre Liebe zu ihm aber nur mit dem Daseyn selbst zu ersticken, und daß diese ihre Liebe im letzten Moment die Gestalt des Hasses borgt, dürfte tief in der weiblichen Natur begründet seyn und am Ende gar nur geschehen, weil auch sie wünscht, was er wünscht, nämlich, daß er sie nicht überleben möge." [1]

The figure of Mariamne is indeed an entire re-creation of the slightly colourless portrait presented by Josephus. She is the first of Hebbel's heroines to attain grandeur; the first, too, who is mistress of her destiny. A sentence in a letter of the poet to Bamberg may well be significant in this connection: „der Haupt=Character [ist] nicht bloß für meine Frau geschrieben, sondern [ist] meine Frau selbst." [2] These words need not be taken to imply exact portraiture—a thing wholly contrary to Hebbel's practice

[1] Letter to Robert Zimmermann, May 22, 1850. *Briefe, ed. cit.*, vol. iv, p. 217.
[2] Letter to Felix Bamberg, Aug. 22, 1848. *Ibid.*, p. 132.

—but they emphasize a fundamental kinship of mind and spirit, and indicate one source of the insight which he possessed into Mariamne's nature.

The specific alterations which Hebbel made in the course of events all serve to throw emphasis on the relationship of the two central characters to one another. Concentration in time goes with concentration of motive. Two journeys suffice to test the persistence of Herodes in his claim to dispose of Mariamne's life; there is no long interval of years between the first and second expedition—nor any interval between the king's final return and the catastrophe. The case against Mariamne is not based on any accusation of a plot to poison the king. Salome's jealousy is of secondary importance in the tragedy, though Hebbel selects with a sure instinct the significant detail—provided by one reference in the *Antiquities* as well as by the version of the story in the *Jewish War*— that Joseph, the first victim, is her husband.[1] It is Mariamne herself who offers apparent proof of infidelity at the moment of Herodes' return ; this evidence is later invalidated by the dispassionate testimony of Titus. Equally, her initial avoidance of Soemus contrasts with the record of Josephus that Mariamne and her mother had won him over by kind words and liberal gifts. Hebbel's Mariamne shuns any situation which might facilitate a discovery which she dreads to make; but when she has made it, she takes her fate into her own hands.

It was by this insistence on the temperament and outlook of his two chief characters that Hebbel fulfilled his vision of the tragic situation inherent in the subject he had chosen. „Denke Dir Charactere," he wrote to a friend, „die Alle Recht haben, die nirgends in's Böse aus=laufen und deren Schicksal daraus hervor geht, daß sie

[1] See below, p. 153, note on l. 520.

eben diese Menschen sind und keine andere,
deren Schicksal aber dennoch ein furchtbares ist . . ."[1] He saw
his drama as „eine Tragödie unbedingtester Nothwendig=
keit."[2] „Das Alles liegt im Josephus, zum Theil klar
ausgesprochen, zum Theil nur dunkel angedeutet, und
freilich nicht, wie hier, zu einer Kette zusammengeschmiedet,
sondern abgerissen und zerstreut," he wrote in 1848 when
he opposed his own interpretation of the story to that
of Massinger.[3] This conception of Necessity is emphasized
by Titus in the play (l. 3207), and each of the few
minor characters and incidents bears it out—the episode
of Artaxerxes, skilfully underlining Herod's attitude
to his wife, the incident of the woman in the burning
house and the report of the resistance of Sameas,
which suggest to Herodes a contrast and a parallel
to Mariamne, the final episode of the Three Kings,
illuminating not only the future but the past. The conception of tragic necessity thus governs not only the
presentation of the characters but the structure of the
drama.

4

The dramatic structure of *Herodes und Mariamne* is
simple and clear-cut. Looking back at his play, in 1850,
Hebbel wrote of „die ungeheure Knappheit der Form,
die ich wählte, und die mich sogar trotz des fast grän=
zenlosen Stoffs auf alle und jede Verwandlung ver=
zichten ließ,"[4] and stressed the need for simplicity and
dramatic economy: „Dabei habe ich mir die Aufgabe

---

[1] Letter to Eduard Janinski, Aug. 14, 1848. *Briefe, ed. cit.*,
vol. iv, p. 129.

[2] *Tagebücher, ed. cit.*, iii, 4334, Dec. 22, 1847. Cp. also letter
to H. Th. Rötscher, Dec. 22, 1847 (*Briefe, ed. cit.*, vol. iv, p. 73)
and to Felix Bamberg, May 27, 1847 (*Ibid.*, p. 36).

[3] Review of *Ludovico, Werke, ed. cit.*, vol. xi, p. 252.

[4] Letter to Emil Palleske, May 23, 1850. *Briefe, ed. cit.*,
vol. iv, p. 221.

geftellt, die Form möglichft zu vereinfachen und die großen hiftorifchen Maffen fowohl, die die Factoren des pfychologifchen Proceffes bilden, als auch das Detail der Nebenperfonen und der Situation in den Hintergrund zu drängen"[1]—adding a comment which recalls the aspirations of more than one nineteenth-century German dramatist: „da ich überzeugt bin, daß aus dem Styl der Griechen und dem Styl Shakefpeares durchaus ein Mittleres gewonnen werden muß." [2] Brevity and conciseness are indeed striking features of this tragedy; the simple lines of its structure and the economy in episodic material are in tune with Hebbel's conception of the "ring of form." [3] The portrait of Herodes in the opening scene skilfully stresses the aspects of his character which play a vital part in that tense situation between him and Mariamne which is fully disclosed in the third scene; his interview with Mariamne in this scene drives the king to his resolve, in scene 4, to ensure her death in the event of his own, and to the consequent conversation with Joseph in the fifth scene which is to secure its execution. The four-line monologue which concludes the act underlines the relation between this action of Herodes and his emotional state. Act I is thus entirely occupied with the main theme—the relation of the two central characters, with the emphasis on the feelings, motives and action of Herodes.

The central figure of Act II is Mariamne. But the first two scenes are devoted to showing those factors in the situation which complicate her relations with her husband. The hatred of her mother Alexandra for Herodes finds in

[1] Letter to Gustav Kühne, March 19, 1850. *Briefe, ed. cit.*, vol. iv, p. 207. (Cp. also letter to F. Dingelstedt, [June] 12, 1852. *Briefe*, vol. v, pp. 21 f.)

[2] *Briefe, ed. cit.*, vol. iv, p. 207.

[3] Cp. letter to Gustav Kühne, Jan. 28, 1847. *Ibid.*, p. 8.

the fanaticism of Sameas the Pharisee an instrument for a plot against the king which produces an outward complication. In the following scenes this outward complication—by which Joseph becomes persuaded of the necessity of fulfilling Herodes' orders against the queen and Alexandra—causes an inner crisis, when Mariamne discovers Joseph's secret and is thus confronted with plain evidence of the king's attitude towards her. With the words at the end of scene 5—„Von jetzt erst fängt mein Leben an, / Bis heute träumt' ich!"—she marks the first decisive moment of the inner tragic sequence; with the unexpected return of Herodes in the short final scene of this act, the outward action also reaches a decisive point: the scene is now set for the second and sharper opposition between the two central characters.

This conflict is the substance of the whole of the third act, although it is only in scenes 2, 3 and 6 that it finds direct expression. The other three scenes deal with the surrounding conditions of the conflict—the report of the plot in the city, the accusations of Salome, the swift vengeance of Herodes on Joseph for the betrayal which Mariamne reveals (l. 1597). Each of these secondary factors modifies the relations between Mariamne and Herodes, which are the sole theme of the sixth and last scene of Act III. In this scene the opposition between their two points of view is seen at its height; distrust and misunderstanding sharpen, and the test which Mariamne imposes by her silence only serves to confirm Herodes in the very resolve which she hopes he did not truly intend. The climax of the outer action is in the king's resolve, at the end of the act, to find a more faithful deputy and so make a second test of Mariamne's fidelity.

The climax of the inner action is reserved for Act IV, when in the third scene Soemus reveals the command of

Herodes. With the words „So ist das Ende da!" Mariamne marks the crisis of tragic experience in herself; with the words: „Ich selbst, ich gebe / Zur Nacht ein Fest!" she sets in motion both the outward action which leads to her death and the inward action which leads to the tragic illusion and disillusionment of Herodes. The episodic material in this act—the preparations for the feast, the fuller portrait of Salome, the sketch of Titus in conversation with Alexandra—underlines the factors which contribute to the illusory belief of Herodes and to his subsequent realization of error. And with the acute double irony of the last line of Act IV the stage is set for the catastrophe in Act V.

Salome and Titus both contribute, in the opening scenes of the fifth act, to the passionate resolve of Herodes that Mariamne shall suffer death. But Titus has a more important part to play after her death is accomplished, in revealing her true mind to the king. The conversation between him and Mariamne in scene 6 serves a double end: on the one hand it enables a full disclosure to be made later to Herodes; on the other, it reveals the inner compulsion which governs Mariamne's action. The episode of the Three Kings intervenes between Mariamne's death and Titus' revelation; with it and the consequent order of Herodes for the massacre of the Innocents, the reason for the tragic conflict is underlined.

The clarity of outline which Hebbel achieved in *Herodes und Mariamne* thus aids immeasurably that conviction of „absolute Nothwendigkeit" which he believed tragedy should create. That it did not involve excessive austerity in detail is due in great measure to the poet's skill in allusive disclosure, by means of which he achieved a high degree of economy in exposition and an effective distribution of light and shade. An outstanding example of this technique of piecemeal revelation can be seen in

the treatment of one incident—the death of Mariamne's
brother, Aristobolus, which has already taken place when
the play opens. This event is in a sense the foundation of
the action. It is the source of Alexandra's hatred—and
thus of the plot against Herodes which affords opportunity
for the betrayal of his commands; it is also the source of
Mariamne's uncertainty and Herodes' own misgivings.
It is used by Antonius as a ground for the first summons
to Herodes, and by Herodes to persuade Joseph that his
own safety may demand the execution of the women.
Mariamne alludes to it in her first speech; her last words
are addressed to Aristobolus. But there is no complete
account of this event in the whole play; the picture is
filled in stroke by stroke, as one after another of the
characters makes allusion to some aspect of it (cp. ll. 53–4,
187–8, 203–12, 357–75, 491–7, 536–43, 554–66, 592–3,
1012–25, 1045–71, 1118–24), or underlines its significance
for the outward or the inward action (cp. ll. 189–92,
217–21, 274, 302–4, 347, 355, 474–5, 571–87, 612–13,
834–5, 948–9, 951–63, 1030–33, 1036–43, 1073–9, 1234,
1354–6, 1465–9, 1558, 1640–5, 1688–92, 1901, 1919–28,
2684–6, 2864–7, 3114–15, 3245–6, 3272–3).

This is not the only example in *Herodes und Mariamne*
of the method of allusive disclosure, though it is perhaps
the only one which illustrates simultaneously Hebbel's
use of a *leitmotiv*. Numerous minor instances show a
similar technique: the incident of the citation of Herodes
before the Synhedrim, alluded to by Sameas in scene 1
(ll. 38–9), is more fully described in the first scene of
Act II (ll. 673–706); the characteristic picture of the
Pharisee closing his eyes lest he should have to look upon
a Roman soldier (ll. 720–1) is given a touch of colour by
means of the vivid detail supplied by Titus later in Act II
(ll. 1206–8); both sides of the medal are shown successively
in the incident of the despatch of the head of Alexandra's

spy as a warning (ll. 247–9, 915–21); the failure of the
attempt at conciliation resolved on by Aaron and his
fellow-judges (ll. 2947 ff.) is recorded by Salome (ll.
3119 ff.) with an indication of her own part in its failure.
Just as the episodes and subordinate personages all serve
to throw into relief the main theme and characters, so
such minor instances of the use of an analytic technique
heighten its effectiveness in the more vital concerns of the
tragedy. And in one of these the poet transforms the
device of withholding a part of the disclosure into an
integral part of the tragic action. The vow which Mariamne
refuses to take in response to Herodes' demand (ll. 479–84)
is uttered to Alexandra (ll. 1086–8) and repeated to
Joseph (ll. 1290–1); Alexandra then alludes to it in com-
menting to Mariamne herself on the riddle of her behaviour to the king (ll. 1965–70), and repeats the vow to
Herodes in order to avenge herself to the utmost against
him (ll. 3259–61). The delay involves a tragic irony,
which is underlined by Herodes' initial expression of
contrast: „Mir ſchwurſt Du Nichts, Dir will ich Etwas
ſchwören" (l. 506). The two vows are subtly interwoven
throughout the tragedy.

5

The close texture of the action in *Herodes und Mariamne*
is in the main the result of compression and ellipsis. But
certain minor features of the dramatist's art contribute
in no small measure to this general impression. The
linking of scenes by suggestion and a delicate use of
repetition in the dialogue convey, as do similar means in
a musical composition, the sense of a complex whole.
Thus the last line of Act I, scene 3, is taken up in Herodes'
monologue in scene 4; Mariamne's words at the end of
Act II, scene 3, are followed immediately in scene 4 by
the announcement of Joseph's appearance—here the

linkage has a touch of irony, which is matched in Act III
(l. 1565) where the last word „rächen" is a prelude to
Mariamne's appearance and behaviour in the next scene;
in Act IV the sudden return of Herodes at the end of
scene 7 is greeted by Mariamne at the opening of scene 8
with the words: „Der Tod! Der Tod! Der Tod ist unter
uns! / Unangemeldet, wie er immer kommt!"—words
heralded earlier (ll. 2139 ff.) and finding an ironic echo
later in this scene: „Der Tod kann mein Gemahl nicht
länger sein" (l. 2603).

Similar effects of light and shade are achieved by the
use of repetition and linkage in the dialogue—as with the
word „Perlen" in Act I, scene 3, which leads by a swift
transition to the idea of water and thus makes an outward
as well as a hidden link with the death of Aristobolus;
with the emphatic repetition of „sagen" in Act II,
scene 5 (ll. 1284-6, 1349-50) with its ironic suggestion of
oath and betrayal; or with the changes rung on „Rache,"
„rächen" throughout the play (ll. 926-8, 1042-4, 1080-1,
1299-1301, 1306-7, 1565, 1920, 1939, 1952, 2733, 2858,
3058, 3229, 3244, 3273), which constantly recall this basic
element in the tragic situation. And the monologue of
Herodes at the end of Act III is a notable example of the
linkage of ideas through the echoing of words in the
corridors of the mind.

Rhythmic effects are evoked with equal skill, and serve
not infrequently to reveal hidden emotions. A sudden
change in rhythmic movement in Act I, scene 4 (ll. 498 ff.)
marks the transition in Herodes' mind from connected
recollection to incoherent feeling, which drives him to
decision; there is another rhythmic change as this
determination crystallizes into a vow of action; and as he
reiterates the separate heads of his resolve, the movement
of the verse once more fits itself to the expression of his
mood. The abrupt unfinished sentences, which in this

monologue express the emotional turmoil in which Herodes' thoughts of Mariamne move, are matched in the next scene, when in conversation with Joseph he reveals his inmost fear concerning her (ll. 619 ff.). So, too, the staccato effect in the king's monologue in Act III, scene 6 (ll. 1947 ff.) marks the transition from the to-and-fro of argument to the sharp hammer-strokes of decision, and the vehement movement of the verse in the trial scene (ll. 2907 ff.) reveals his turbulent passion.

The language of *Herodes und Mariamne*, no less than the rhythm of the verse, affords subtle indications of temperament and mood. Within the restraints of poetic diction its variations are characteristic and significant; contrasts of personality and differences in feeling and mood are constantly suggested by the kind of language in which thought is expressed. With the rise of emotion in Herodes that is associated with Mariamne, his utterance becomes hyperbolic (note especially the parallel between the speech in Act III, scene 6, ll. 1865 ff. and that in the final scene, ll. 3282 ff.; also the tumbling images in his speech on Mariamne's beauty, ll. 445 ff., and those aroused by Salome's accusations, ll. 1550 ff.). This kind of language, used by Herodes solely under the stress of this particular kind of emotion, contrasts strongly with the bald economical expression of commands and comments in the opening scene—or indeed in any scene which shows the king in action. It is a potent means of revealing the irrational forces that control him.

No such striking contrast is to be found in Mariamne's speech. It may indeed gain in depth and intensity with the weight of the moment (cp. especially the climax of the scene with Alexandra in Act II, ll. 1072 ff., those of the conversations with Herodes in Act III, scene 3, ll. 1684 ff. and scene 6, ll. 1875 ff., and her final expression of resolute despair, ll. 3064 ff.) but there is no difference in kind. Mariamne's language supports the impression of a unified personality; the contrast in her case is not between two kinds of language, but between speech and silence.

Other differences in style and language strike an attentive ear. Alexandra's utterances are characterized by a note of realism which persists through all her passion of hatred and revenge (ll. 686 ff., 992–3, 1965–70, 3257–62); the conversational tone of Silo and Judas (Act IV, scene 4) is skilfully contrasted with the monotonous note of garrulity in the speeches of Artaxerxes just before. All these distinctions, however, exist within a style that is broadly homogeneous, and do not contradict this general impression. Moreover, features in the style that reveal essential traits in the poet's mind are recurrent—the power of single words to evoke ideas, which suggest other words and so form themselves into an unbreakable chain; the persistent use of the past subjunctive, with its effect of an ordered hypothesis; the use of a cumulative process of argument to prepare for a climax that is emotional in kind; the repetition of a word or a phrase as a *leitmotiv* to call up feelings and ideas that have temporarily been submerged.

From a metrical point of view there is a similar combination of general uniformity and minor divergences. The accent is frequently shifted (e.g. ll. 198, 391, 473, 3313, etc.) to emphasize the significance of a word; the accentuation of foreign names is very free; the line may occasionally be curtailed at a dramatic moment (ll. 670, 2525); but the metrical impression of the whole is that of a flexible but steady blank verse line.

6

If Hebbel's hopes that *Herodes und Mariamne* would prove a success on the stage were not fulfilled in his life-

time, the reason can hardly be found in any absence of
the skill of the playwright. The drama exhibits a notable
degree of stagecraft—achieved in the main by poetic,
rather than by technical, means. Hebbel indeed regarded
the latter as adjuncts which concerned him but little.
He was reluctant to prescribe stage directions for the
actors, preferring to convey them otherwise: „Ich selbst
schreibe dem Schauspieler in meinen dramatischen Ar=
beiten ungern etwas vor und bestrebe mich, nach Art der
Alten, ihm durch kleine Fingerzeige im Dialog selbst die Ge=
berden, die ich zur Begleitung wünsche, leise anzudeuten."[1]
(For instances of these more subtle ways of indicating
gesture and aspect, cp. ll. 752, 1799 ff., 2480 ff., 2675 f.,
3210 f.) There are comparatively few stage directions,
even of a more general kind, in *Herodes und Mariamne*.
But where they occur, they are often highly significant—
as when they record Mariamne's impulse to speech,
immediately suppressed (ll. 388, 1810), Herodes' demon-
stration of affection in his appeal to her (ll. 375, 380), the
swift clutch at the dagger when she learns for the second
time of Herodes' secret command (l. 2149) and the
equally swift revulsion of feeling which makes her cast
it away from her (l. 2153), the sight of the mirror that
rouses poignant memories (l. 2490), the wild laughter of
Herodes in the trial scene (l. 2852), or the king's violent
and significant gesture as he reiterates his claim to power
at the end of the drama (l. 3276). Most of the other stage
directions merely give brief indications of setting or
movement or direction of speech. There is one, however,
that in its frequent recurrence indicates a feature of
Hebbel's dramatic technique in this play: the use of
asides as a means of revealing emotion and thought. Some
of these asides fulfil the normal function of expressing a

[1] Letter to Gustav Kühne, Jan. 28, 1847. *Briefe, ed. cit.*,
vol. iv, p. 5.

passing comment on the situation or revealing an additional motive or purpose of action (ll. 1223–5, 1263–5,
1265–71, 2128, 3173). Others are more significant,
in that they disclose a deep preoccupation of the mind
brought to the surface by incident or speech (ll. 28–9,
1020–2, 1600, 1602, 1617, 2774). But whereas these only
differ from the normal convention in intensity, Hebbel
strains the convention to the utmost in the three great
conversations between Herodes and Mariamne (Act I,
scene 3, Act III, scene 2, Act III, scene 6). Here the asides
are almost equal to swift monologues; they reveal the very
texture of the mind of the characters and the vital hidden
springs of the action (ll. 299–304, 425–8, 1791 f., 1798 f.,
1800–2, 1803–7, 1822–9, 1900–10). So much indeed are these
speeches an integral part of the inward action that the
dramatist does not always indicate by any direction that
they are to be spoken aside (ll. 1791 f., 1798 f., 1822 ff.;
cp. also Alexandra's important comment on Mariamne's
behaviour, l. 1570). The demands made on the actors in
Act III, scene 6, are immense. The asides of Mariamne in
particular are essential to our knowledge of her mind;
that they should not be heard by Herodes is a necessary
condition of the test she imposes. Only in *Genoveva* do we
find Hebbel using the aside with such a weight of meaning,
and with so little regard to the difficulty of stage presentation. His description of monologues as „laute Athemzüge
der Seele"[1] is in fact more applicable to such asides than
to the actual monologues in *Herodes und Mariamne*, which
are either of the deliberative kind, leading to action
(I, 4, II, 2, III, 6), or of an epitomizing nature,
pointing the significance of a situation (I, 2, I, 6, V, 2).
On one single occasion the dramatist incorporates
what is virtually a monologue by Mariamne in the
movement of a scene, skilfully marking its revelatory

[1] *Tagebücher, ed. cit.*, iv, 5907, May 3, 1861.

nature by Alexandra's interruption: „Romm zu Dir!"
(l. 2496).

The action is sometimes carried over from one act to
another by means of a monologue which raises a question
only solved in the following act (e.g. Act I, scene 6, Act
III, scene 6). At other times, movement is stilled at the
close of the act, or a group is struck into silence, as in the
effective moment at the end of Act II. (Hebbel avoids
excessive symmetry by allowing the second arrival of
Herodes in Act IV to be succeeded by the scene of
Mariamne's arrest, before the act ends on a brief dialogue
between Herodes and Titus, after the stage has gradually
emptied). Such moments may perhaps be reckoned as
stage effects, which otherwise Hebbel used sparingly—
indicating in the dialogue itself the most striking amongst
them, the brilliant illumination for Mariamne's feast of
death. The scene of Mariamne's trial has a *décor* of extreme
simplicity, the significance of which lies in the fact that
the scene is set once more in the audience hall of the first
act. Thus the action, which moved to Alexandra's apart-
ments for Acts II and III (a change skilfully explained in
ll. 1506 f.) and to those of Mariamne for the crucial
events of Act IV, returns in the end to the setting
in which the dominion of Herodes is plain. No change
of scene within the acts retards the movement of the
drama; and although there is of necessity a lapse of
time between Acts III and IV, the continuity of the
action in Acts II and III creates a counteracting
impression of a swift sequence. The execution of
Mariamne, which takes place behind the scenes, is
accompanied by a simultaneous action on the stage,
when the coloured pageant of the Three Kings is set
in startling contrast to the sombre events in the back-
ground. The concentration on significant detail which
marks all these evidences of stagecraft in *Herodes und*

Mariamne is the characteristic mark of Hebbel's dramatic technique.

7

On more than one occasion Hebbel affirmed his conviction that *Herodes und Mariamne* marked for him the beginning of a new epoch.[1] The play moved, he pointed out, in a different sphere; and it contained „ſo viel Verſöhnung, als ſich mit dem Begriff der Tragödie verträgt."[2] The historical material, far from depriving him of scope for the imagination, offered rich opportunities for the re-creation which alone could make it live. Nothing, he wrote as he was at work on the tragedy, was to depend on arbitrary moods or resolves; nothing could have happened differently: „es ſoll ſich zu dem, was ſich darin ereignet, ein Jeder, der Menſch iſt, bekennen müſſen, ſelbſt zu dem Entſchluß des Herodes, aus dem Alles entſpringt . . ."[3] The two statements are complementary; and the second throws light on what Hebbel meant by „Verſöhnung". He had long been keenly opposed to prevalent interpretations of this term in the sense of a specifically conciliatory close[4]; he was uncompromisingly aware of the tragic fate of the human individual, relentless in his presentation of cause and effect in the spiritual as well as in the material sphere. *Judith* and *Genoveva* and *Maria Magdalena* all presented the spectacle of human beings powerless to avert the consequences of their own actions or their own natures, and succumbing to this necessity

---

[1] See letters to Gustav Kühne, May 30, 1849, Gustav Kolb, April 3, 1852, Arnold Ruge, Sept. 15, 1852 (*Briefe, ed. cit.*, vol. iv, p. 160; vol. v, pp. 6, 55).

[2] *Briefe, ed. cit.*, vol. iv, p. 160.

[3] Letter to H. Th. Rötscher, Dec. 22, 1847. *Ibid.*, p. 74.

[4] Cp. *Tagebücher, ed. cit.*, ii, 2664, March 6, 1843; ii, 3168 June 25, 1844; ii, 2635, Jan. 5, 1843; ii, 2776, Aug. 29, 1843; iii, 3892, Jan. 10, 1847.

with a sense of tragic doom. A measure of vision indeed enables us to discern in these dramas the ultimate issues which offset the tragic fate of the characters: the salvation of Bethulia through Judith's own abasement, the spiritual triumph of Genoveva's goodness manifested in Golo's expiation, the difficult attainment in Klara of the will to sacrifice. In *Herodes und Mariamne* the tragic sequence is no less inescapable than in the earlier dramas. The conflict between two powerful personalities rests on an absolute opposition in respect of the relations between human individuals. The emphasis is on two ideas of „Menſchheit" and „Liebe":

> Du haſt in mir die Menſchheit
> Geſchändet, meinen Schmerz muß Jeder theilen,
> Der Menſch iſt, wie ich ſelbſt . . . (ll. 1684–6)

> Mag ich auch an Deiner Menſchheit
> Gefrevelt haben, das erkenn' ich klar,
> An Deiner Liebe frevelte ich nicht! (ll. 1831–3).

Herodes claims the absolute of love; to this claim Mariamne opposes the individual claim to existence. She does not in fact deny the demands of love, but passionately maintains that to meet them, in any real sense, a human being must have the possibility of choice.

In the particular form which this fundamental conflict assumed Hebbel saw the expression of a historical moment. The resolve of Herodes to assert his claim was the outward sign of an inward fever; the source of this fever was the atmosphere in which he breathed, and the atmosphere itself arose from „dem d a m p f e n d e n, v u l c a n i ſ c h e n B o d e n, auf dem er ſtand."[1] Mariamne's immovable belief in a citadel of the spirit is a breath of the air of freedom. Her proud and unshaken assertion of

---

[1] Review of *Ludovico, Werke, ed. cit.*, vol. xi, p. 253.

spiritual liberty—wrapped though it be in the garment of personal vengeance—heralds an age in which such freedom was to become paramount. The new world emerges visibly at the end of the drama: „die heiligen drei Könige treten auf und tauchen alle Gräber in Morgenroth."[1] Thus the „Versöhnung" of which Hebbel wrote is suggested by the passage of the Magi across the stage—in a brief and stylized scene—and the moment of history which is here enshrined suggests, in symbolic form and with great dramatic effect, the advent of a new age.

But there is also to be discerned in *Herodes und Mariamne* an aspect of tragic reconciliation that is independent of the historical moment. While the dæmonic force of the tragic characters drives them unavoidably to disaster, the flawless chain, the rounded completeness and inner compulsion of the action, create that sense of harmony in an ordered whole which is widely recognized as one of the chief sources of satisfaction in tragedy.

[1] Letter to Arnold Ruge, Sept. 15, 1852. *Briefe, ed. cit.*, vol. v, p. 56.

Personen:

König Herodes.

Mariamne, seine Gemahlin.

Alexandra, ihre Mutter.

Salome, Schwester des Königs.

Soemus, Statthalter von Galliläa.

Joseph, Vicekönig in Abwesenheit von Herodes.

Sameas, ein Pharisäer.

Titus, ein römischer Hauptmann.

Joab, ein Bote.

Judas, ein jüdischer Hauptmann.

Artaxerxes, ein Diener.

Moses,
Jehu, } desgleichen, so wie noch einige andere Diener.

Silo, ein Bürger.

Serubabel und
sein Sohn Philo, } Galliläer.

Ein römischer Bote.

Aaron und fünf andere Richter.

Drei Könige aus dem Morgenlande, von der christlichen Kirche später die heiligen zubenannt.

Ort: Jerusalem.   Zeit: Um Christi Geburt.

Erster Act

Burg Zion.   Großer Audienz-Saal

Joab. Sameas. Serubabel und sein Sohn. Titus.
Judas und viele Andere. Herodes tritt ein

Erste Scene

Joab
(tritt dem König entgegen)

Ich bin zurück!

Herodes
Dich spreche ich nachher!

Das Wichtigste zuerst!

Joab
(zurücktretend, für sich)
Das Wichtigste!
Ich dächte doch, das wäre, zu erfahren,
Ob unser Kopf noch fest sitzt oder nicht.

Herodes
(winkt Judas)

Wie steht es mit dem Feuer?   5

Judas
Mit dem Feuer?
So weißt Du schon, was ich zu melden kam?

Herodes
Um Mitternacht brach's aus.   Ich war der Erste,
Der es bemerkte und die Wache rief.
Irr' ich mich nicht, so weckte ich Dich selbst!

Judas
Es ist gelöscht! (für sich) So ist es also wahr,   10
Daß er verkleidet durch die Gassen schleicht,
Wenn And're schlafen!   Hüten wir die Zunge,
Sie könnte seinem Ohr einmal begegnen.

Herodes

Ich sah, als Alles schon in Flammen stand,
15 Ein junges Weib durch's Fenster eines Hauses,
Das ganz betäubt schien.   Ward dies Weib gerettet?

Judas

Sie wollte nicht!

Herodes
Sie wollte nicht?

Judas

Bei'm Himmel,
Sie wehrte sich, als man sie mit Gewalt
Hinweg zu bringen suchte, schlug mit Händen
20 Und Füßen um sich, klammerte am Bett,
Auf dem sie saß, sich fest und schrie, sie habe
Mit eig'ner Hand sich eben tödten wollen,
Nun komme ihr ein Tod von ungefähr!

Herodes
Sie wird verrückt gewesen sein!

Judas

Wohl möglich,
25 Daß sie's in ihrem Schmerz geworden ist!
Ihr Mann war Augenblicks zuvor gestorben,
Der Leichnam lag noch warm in seinem Bett.

Herodes
(für sich)

Das will ich Mariamnen doch erzählen
Und ihr dabei in's Auge schau'n! (laut) Dies Weib
30 Hat wohl kein Kind gehabt!   Wär' es der Fall,
So sorg' ich für das Kind!   Sie selber aber
Soll reich und Fürsten gleich bestattet werden,
Sie war vielleicht der Frauen Königin!

Sameas
(tritt zu Herodes)

Bestattet werden?   Geht doch wohl nicht an!
35 Zum wenigsten nicht in Jerusalem!
Es steht geschrieben —

Herodes
Kenne ich Dich nicht?

Sameas
Du hast mich einmal kennen lernen können;
Ich war die Zunge des Synedriums,
Als es vor Dir verstummte!

Herodes
Sameas,
Ich hoffe doch, Du kennst mich auch! Du hast   40
Den Jüngling hart verfolgt, Du hättest gern
Mit seinem Kopf dem Henker ein Geschenk
Gemacht; der Mann und König hat vergessen,
Was Du gethan: Du trägst den Deinen noch!

Sameas
Wenn ich ihn darum, weil Du mir ihn ließest,   45
Nicht brauchen soll, so nimm ihn hin; das wäre
Ja schlimmer, als ihn eingebüßt zu haben.

Herodes
Weswegen kamst Du? Niemals sah ich Dich
Bis jetzt in diesen Mauern.

Sameas
Deshalb eben
Siehst Du mich heut'! Du hast vielleicht geglaubt,   50
Daß ich Dich fürchtete! Ich fürcht' Dich nicht!
Auch jetzt nicht, wo Dich Mancher fürchten lernte,
Der Dich bisher, ich meine bis zum Tode
Des Aristobolus, nicht fürchtete!
Und nun sich die Gelegenheit mir beut,   55
Dir zu beweisen, daß ich dankbar bin,
Nehm' ich sie wahr und warne Dich mit Ernst
Vor einer Handlung, die der Herr verdammt.
Die Knochen dieses Weibes sind verflucht,
Sie hat die Rettung heidnisch abgewehrt,   60
Das ist, als hätte sie sich selbst getödtet,
Und da —

H.U.M.—2*

Herodes

Ein ander Mal! (zu Serubabel) Aus Galliläa
Und Serubabel, der mich — Sei gegrüßt!
Du selbst bist Schuld, daß ich Dich jetzt erst sah!

Serubabel

65 Viel Ehre, König, daß Du mich noch kennst!
(deutet auf seinen Mund)
Nun freilich, diese beiden großen Zähne,
Die mich zum Vetter eines Ebers machen —

Herodes

Mein eigenes Gesicht vergeß' ich eher,
Als das des Mannes, der mir treu gedient!
70 Du warst, als ich bei Euch die Räuber jagte,
Mein bester Spürhund.   Was bringst Du mir jetzt?

Serubabel

(winkt seinem Sohn)
Nicht eben viel!   Den Philo, meinen Sohn!
Du brauchst Soldaten, ich, ich brauche keine,
Und dieser ist ein Römer, aus Verseh'n
75 Durch ein ebräisch Weib zur Welt gebracht!

Herodes

Aus Galliläa kommt mir Nichts, als Gutes!
Ich lasse Dich noch rufen.

Serubabel

(tritt mit seinem Sohn zurück)

Titus

(tritt vor)
Ein Betrug,
Den ich entdeckte, zwingt mich —

Herodes

Deck' ihn auf!

Titus

Die Stummen reden!

Herodes
Deutlich!

Titus
Dein Trabant,
Der Dir mit einem meiner Centurionen
Die letzte Nacht das Schlafgemach bewachte,— 80

Herodes
(für sich)
Den Alexandra, meine Schwiegermutter,
In meinen Dienst gebracht —

Titus
Er ist nicht stumm,
Wie alle Welt von ihm zu glauben scheint;
Er hat im Traum gesprochen, hat geflucht! 85

Herodes
Im Traum?

Titus
Er war im Stehen eingeschlafen,
Mein Centurione weckte ihn nicht auf;
Er glaubte die Verpflichtung nicht zu haben,
Weil er nicht mit in der Cohorte dient,
Doch sah er scharf auf ihn, um, wenn er fiele, 90
Ihn aufzufangen, daß er Dich nicht störe,
Denn früh noch war es, und Du lagst im Schlaf.
Wie er das thut, fängt dieser Stumme plötzlich
Zu murmeln an, spricht deinen Namen aus
Und fügt den fürchterlichsten Fluch hinzu! 95

Herodes
Der Centurione hat sich nicht getäuscht?

Titus
Dann müßt' er selber eingeschlafen sein
Und wär' ein schlimm'res Zeichen für die Zukunft
Der ew'gen Stadt, als jener Blitz, der jüngst
Die Wölfin auf dem Capitol versehrt! 100

Herodes

Ich danke Dir! Und nun —

(er verabschiedet Alle bis auf Joab)

Ja, ja, so steht's!

Verrath im eig'nen Hause, off'ner Trotz
Im Pharisäerpöbel, um so kecker,
Als ich ihn gar nicht strafen kann, wenn ich
105 Nicht aus den Narren Märt'rer machen will;
Bei jenen Galliläern etwas Liebe,
Nein, eigennützige Anhänglichkeit,
Weil ich der Popanz bin mit blankem Schwert,
Der aus der Ferne ihr Gesindel schreckt;
110 Und — dieser Mensch bringt sicher schlechte Botschaft,
Er war zu eilig, mir sie zu verkünden.
Denn der sogar, obgleich mein eig'ner Knecht,
Thut gern, was mich verdrießt, wenn er nur weiß,
Daß ich mich stellen muß, als merkt' ich's nicht!

(zu Joab)

115 Wie steht's in Alexandrien?

Joab

Ich sprach

Antonius!

Herodes

Ein wunderlicher Anfang!

Du sprachst Antonius?   Ich bin's gewohnt,
Daß meine Boten vorgelassen werden;
Du bist der Erste, der es nöthig findet,
120 Mir zu versichern, daß ihm das gelang.

Joab

Es ward mir schwer gemacht!   Man wies mich ab,
Hartnäckig ab!

Herodes

(für sich)

So steht er mit Octav

Noch besser, als ich dachte! (laut) Das beweis't,
Daß Du die rechte Stunde nicht gewählt!

Joab

Ich wählte jede von den vierundzwanzig,   125
Voraus der Tag besteht; wie man auch trieb,
Ich wich nicht von der Stelle, nicht einmal,
Als die Soldaten mir den Imbiß boten,
Und, da ich ihn verschmähte, spotteten:
Er ißt nur, was die Katze vorgekostet   130
Und was der Hund zerlegt hat mit dem Maul!
Am Ende glückte mir —

Herodes

       Was einem Klügern
Sogleich geglückt wär' —

Joab

       Bei ihm vorzukommen!
Doch war's schon Nacht, und Anfangs mußt' ich glauben,
Er hätt' mich rufen lassen, um den Spaß   135
Der höhnenden Soldaten fortzusetzen;
Denn, wie ich eintrat, fand ich einen Kreis
Von Trinkern vor, die sich auf Polstern streckten,
Er aber füllte selbst mir einen Becher
Und rief mir zu: Den leere auf mein Wohl!   140
Und als ich deß mich höflich weigerte,
Da sprach er: Wenn ich den da tödten wollte,
So brauchte ich ihn nur acht Tage lang
An meinen Tisch zu zieh'n und den Tribut,
Den Erd' und Meer mir zollen, d'rauf zu stellen,   145
Er würde müßig sitzen und verhungern
Und noch im Sterben schwören, er sei satt.

Herodes

Ja, ja, sie kennen uns! Das muß sich ändern!
Was Moses bloß gebot, um vor dem Rückfall
In seinen Kälberdienst dies Volk zu schützen,   150
Wenn er kein Narr war, das befolgt dies Volk,
Als hätt' es einen Zweck an sich, und gleicht
Dem Kranken, der nach der Genesung noch
Das Mittel, das ihn heilte, fort gebraucht,

155 Als wären Arzenei und Nahrung Eins!
Das soll — Fahr' fort!'

Joab

Doch überzeugte ich
Mich bald, daß ich mich irrte, denn er that
Beim Trinken alle Staatsgeschäfte ab,
Ernannte Magistrate, ordnete

160 Dem Zeus das Opfer an, vernahm Auguren
Und sprach die Boten, wie sie eben kamen,
Nicht mich allein.   Es sah besonders aus.
Ein Sclav' stand hinter ihm, das Ohr gespitzt,
Die Tafel und den Griffel in der Hand,

165 Und zeichnete mit lächerlichem Ernst
Das auf, was ihm in trunk'nem Muth entfiel.
Die Tafel lies't er dann, wie ich vernahm,
Am nächsten Morgen durch im Katzenjammer
Und hält so treu an ihren Inhalt sich,

170 Daß er, dieß soll er jüngst geschworen haben,
Sich selbst mit eig'ner Faust erdrosseln würde,
Wenn er die Welt, die ihm gehört, am Abend
Im Rausch verschenkt und sich dabei des Rechts
Auf einen Platz darin begeben hätte.

175 Ob er dann auch im Zickzack geht, wie Nachts,
Wenn er sein Lager sucht, ich weiß es nicht,
Doch däucht mir Eins dem Andern völlig gleich.

Herodes

Du siegst, Octavian!   Es fragt sich bloß,
Ob früher oder später.   Nun?

Joab

Als endlich

180 An mich die Reihe kam, und ich den Brief
Ihm überreichte, den ich für ihn hatte,
Da warf er ihn, anstatt ihn zu eröffnen,
Verächtlich seinem Schreiber hin und ließ
Ein Bild durch seinen Mundschenk bringen; dieses

185 Sollt' ich betrachten und ihm sagen,
Ob ich es ähnlich fände oder nicht.

Herodes

Das war das Bild —

Joab

(hämisch)

Des Aristobolus,
Des Hohenpriesters, der so rasch ertrank.
Es war ihm längst durch Deine Schwiegermutter,
Durch Alexandra, die mit ihm verkehrt,   190
Schon zugeschickt, doch er verschlang's mit Gier,
Als hätte er es niemals noch erblickt.
Ich stand verwirrt und schweigend da. Er sprach,
Als er dieß sah: Die Lampen brennen wohl
Zu düster hier! und griff nach Deinem Brief,   195
Steckt' ihn in Brand und ließ ihn vor dem Bild
Langsam verflackern, wie ein weißes Blatt.

Herodes

Kühn! Selbst für ihn! Doch — es geschah im Rausch!

Joab

Ich rief: Was machst Du da? Du hast ihn ja
Noch nicht gelesen! Er erwiederte: 200
Ich will Herodes sprechen! Das bedeutet's!
Er ist bei mir verklagt auf Tod und Leben!
Nun sollt' ich sagen, wie der Hohepriester
Gestorben sei. Und als ich ihm erzählte,
Bei'm Baden hab' der Schwindel ihn gepackt,   205
Da fuhr er d'rein: Gepackt! Ja, ja, das ist
Das rechte Wort; der Schwindel hatte Fäuste!
Und ich vernahm — verzeihst Du's, wenn ich's melde?
Daß man in Rom nicht glaubt, der Jüngling sei
Ertrunken, sondern daß man Dich bezüchtigt,   210
Du habest ihn durch Deine Kämmerer
Ersticken lassen in dem tiefen Fluß.

Herodes

Dank, Alexandra, Dank!

Joab

Jetzt winkt' er mir
Zu gehen, und ich ging.   Doch rief er mich
215 Noch einmal um und sprach: Du bist die Antwort
Auf meine erste Frage mir noch schuldig,
D'rum wiederhol' ich sie.   Gleicht dieses Bild
Dem Todten?   Und als ich gezwungen nickte:
Gleicht Marianne denn auch ihrem Bruder?
220 Gleicht sie dem Jüngling, der so schmählich starb?
Ist sie so schön, daß jedes Weib sie haßt?

Herodes

Und Du?

Joab

Erst höre, was die Andern sagten,
Die sich erhoben hatten und das Bild
Mit mir umstanden.   Lachend riefen sie,
225 Zweideut'ge Mienen mit Antonius wechselnd:
Sprich Ja! wenn Dich der Todte je beschenkte,
Dann siehst Du ihn auf jeden Fall gerächt!
Ich aber sprach: ich wüßte Nichts davon,
Denn niemals anders, als verschleiert, hätt' ich
230 Die Königin geseh'n, und das ist wahr!

Herodes
(für sich)

Ha, Marianne!   Aber — dazu lach' ich;
Denn davor werd' ich mich zu schützen wissen,
So oder so, es komme, wie es will! —
(zu Joab)
Und welchen Auftrag gab er Dir für mich?

Joab

235 Gar keinen!   Wenn ich einen Auftrag hätte,
So hätt' ich Dir dies Alles nicht erzählt!
Nun schien's mir nöthig!

Herodes

Wohl! — Du gehst sogleich
Zurück nach Alexandrien mit mir
Und darfst die Königsburg nicht mehr verlassen!

Joab

Ich werd' auch in der Burg mit Keinem reden!   240

Herodes

Ich glaub's!   Wer stirbt den Tod am Kreuz auch gern,
Besonders, wenn die Feige eben reift!
Mein Stummer wird erwürgt und sollt' er fragen
Warum, so sagt man: Weil Du fragen kannst!

(für sich)

Nun weiß ich's denn, durch wen die alte Schlange   245
So oft erfuhr, was ich — Ein böses Weib!

(zu Joab)

Besorge das!   Ich muß den Kopf noch seh'n,
Ich will ihn meiner Schwiegermutter schicken! —

(für sich)

Sie braucht ein Warnungszeichen, wie es scheint.

Joab

Sogleich!   250

Herodes

              Noch Eins!   Der junge Galliläer
Tritt für ihn ein, der Sohn des Serubabel.
Den will ich auch noch sprechen, eh' wir zieh'n!

(Joab ab)

Zweite Scene

Herodes

(allein)

Nun gilt's!   Noch einmal! hätt' ich bald gesagt,
Allein ich seh' kein Ende ab.   Ich gleiche
Dem Mann der Fabel, den der Löwe vorn,   255
Der Tiger hinten packte, dem die Geier
Mit Schnäbeln und mit Klau'n von oben drohten,
Und der auf einem Schlangenklumpen stand.
Gleichviel!   Ich wehre mich, so gut ich kann,
Und gegen jeden Feind mit seiner Waffe,   260
Das sei von jetzt mir Regel und Gesetz.
Wie lang' es dauern wird, mich soll's nicht kümmern.

Wenn ich nur bis an's Ende mich behaupte
Und Nichts verliere, was ich mein genannt,
265 Dies Ende komme nun, sobald es will!

Dritte Scene

Ein Diener
(tritt ein)

Die Königin!

Mariamne
(folgt ihm auf dem Fuß)

Herodes
(geht ihr entgegen)
Du kommst mir nur zuvor!

Ich wollte —

Mariamne
Doch nicht in Person den Dank
Für Deine wunderbaren Perlen holen?
Ich wies Dich zweimal ab, es noch einmal
270 Versuchen, ob ich meinen Sinn gewendet,
Das wär' für einen Mann zu viel gewesen
Und ganz gewiß zu viel für einen König.
O nein, ich kenne meine Pflicht, und da Du
Seit meines munt'ren Bruders jähem Tod
275 Mich jeden Tag so reich beschenkst, als würbest
Du neu um mich, so komme ich auch endlich
Und zeige Dir, daß ich erkenntlich bin!

Herodes
Ich sehe es!

Mariamne
Zwar weiß ich nicht, wie Du
Es mit mir meinst. Du schickst für mich den Taucher
280 Hinunter in das dunkle Meer, und wenn
Sich Keiner findet, der um blanken Lohn
Des Leviathans Ruhe stören will,
So thust Du Deine Kerker auf und giebst
Dem Räuber den verwirkten Kopf zurück,
285 Damit er Dir die Perlen fischt für mich.

Herodes

Und scheint Dir das verkehrt? Ich ließ wohl auch
Den Mörder schon vom Kreuz herunternehmen,
Als es ein Kind aus einer Feuersbrunst
Zu retten galt, und sagte ihm: Wenn Du's
Der Mutter wieder bringst, so gilt mir das,   290
Als hättest Du dem Tod die Schuld bezahlt.
Er stürzte auch hinein —

Mariamne
Und kam er wieder

Heraus?

Herodes
Es war zu spät! Sonst hätt' ich ihm
Mein Wort gehalten und ihn als Soldat
Nach Rom geschickt, wo Tiger nöthig sind.   295
Man soll mit Allem wuchern, denke ich,
Warum nicht mit verfall'nem Menschenleben?
Es kommen Fälle, wo man's brauchen kann!

Mariamne
(für sich)

O, daß er nicht die blut'gen Hände hätte!
Ich sag' ihm Nichts! Denn, was er auch gethan,   300
Spricht er davon, so scheint es wohl gethan,
Und schrecklich wär' es doch, wenn er mich zwänge,
Den Brudermord zu finden, wie das And're,
Nothwendig, unvermeidlich, wohl gethan!

Herodes

Du schweigst?   305

Mariamne
So soll ich reden? Wohl von Perlen!
Wir sprachen ja bis jetzt von Perlen nur,
Von Perlen, die so rein sind und so weiß,
Daß sie sogar in blut'gen Händen nicht
Den klaren Glanz verlieren! Nun, Du häufst
Sie sehr bei mir!   310

Herodes
Verdrießt es Dich?

Mariamne

Mich nicht!

Du kannst mir dadurch nimmer eine Schuld
Bezahlen wollen, und mir däucht, ich habe
Als Weib und Königin ein volles Recht
Auf Perlen und Kleinodien. Ich darf
315 Vom Edelstein, wie Cleopatra, sagen:
Er ist mein Diener, dem ich es verzeihe,
Daß er den Stern so schlecht bei mir vertritt,
Weil er dafür die Blume übertrifft!
Doch hast Du eine Schwester, Salome —

Herodes

320 Und diese —

Mariamne

Nun, wenn sie mich morden soll,

So fahr' nur fort, das Meer für mich zu plündern,
Sonst — gieb dem Taucher endlich Ruh'! Ich stehe
Schon hoch genug in ihrer Schuld! Du siehst
Mich zweifelnd an? Doch! Doch! Als ich vor'm Jahr
325 Im Sterben lag, da hat sie mich geküßt.
Es war das erste und das einz'ge Mal,
Ich dachte gleich: Das ist Dein Lohn dafür,
Daß Du von hinnen gehst! So war es auch,
Ich aber täuschte sie, denn ich genas.
330 Nun hab' ich ihren Kuß umsonst, und das
Vergaß sie nicht. Ich fürchte sehr, sie könnte
Sich d'ran erinnern, wenn ich sie besuchte,
Die Wunderperlen um den Hals, durch die
Du mir zuletzt gezeigt, wie Du mich liebst!

Herodes
(für sich)

335 Es fehlt nur noch, daß meine linke Hand
Sich gegen meine rechte kehrt!

Mariamne

Ich würde
Zum Wenigsten den Willkommstrunk verschmäh'n!
Und böte sie mir statt gewürzten Weins
Auch im Kristall unschuld'ges Wasser dar,
Ich ließe selbst dies Wasser unberührt!   340
Zwar würde das Nichts heißen!   Nein!   Es wäre
Auch so natürlich; denn das Wasser ist
Mir jetzt nicht mehr, was es mir sonst gewesen ist:
Ein mildes Element, das Blumen tränkt
Und mich und alle Welt erquickt, es flößt   345
Mir Schauder ein und füllt mich mit Entsetzen,
Seit es den Bruder mir verschlungen hat,
Ich denke stets: im Tropfen wohnt das Leben,
Doch in der Welle wohnt der bitt're Tod!
Dir muß es noch ganz anders sein!   350

Herodes

Warum?

Mariamne

Weil Du durch einen Fluß verläumdet wirst,
Der seine eig'ne, grausam=tück'sche That
Dir aufzubürden wagt!   Doch fürcht' ihn nicht,
Ich widersprech' ihm!

Herodes

In der That?

Mariamne

Ich kann's!
Die Schwester lieben und den Bruder tödten,   355
Wie wär' das zu vereinen?

Herodes

Doch vielleicht!
Wenn solch ein Bruder selbst auf's Tödten sinnt,
Und man nur dadurch, daß man ihm begegnet,
Ja, ihm zuvor kommt, sich erhalten kann!
Wir sprechen hier vom Möglichen!   Und weiter!   360
Wenn er, an sich zwar arglos, sich zur Waffe

In Feindeshänden machen läßt, zur Waffe,
Die tödtlich treffen muß, wenn man sie nicht
Zerbricht, bevor sie noch geschwungen wird.
365 Wir sprechen hier vom Möglichen! Und endlich!
Wenn diese Waffe nicht ein Einzelhaupt,
Nein, wenn sie eines Volkes Haupt bedroht!
Und eins, das diesem Volk so nöthig ist,
Wie irgend einem Rumpf das seinige.
370 Wir sprechen hier vom Möglichen, doch denk' ich,
In allen diesen Fällen wird die Schwester,
Als Weib aus schuld'ger Liebe zum Gemahl,
Als Tochter ihres Volks aus heil'ger Pflicht,
Als Königin aus beiden sagen müssen:
375 Es ist gescheh'n, was ich nicht schelten darf!

(er faßt Mariamnens Hand)

Wenn eine Ruth mich auch nicht fassen mag,
Wie hätte sie's gelernt beim Aehrenlesen,
Die Maccabäerin wird mich versteh'n!
Du konntest mich in Jericho nicht küssen,
380 Du wirst es können in Jerusalem! (er küßt sie)
Und wenn der Kuß Dich doch gereuen sollte,
So höre, was Dich mir versöhnen wird:
Ich habe ihn zum Abschied mir genommen,
Und dieser Abschied kann für ewig sein!

Mariamne

385 Für ewig?

Herodes

Ja! Antonius läßt mich rufen,
Doch, ob auch wiederkehren, weiß ich nicht!

Mariamne

Du weißt es nicht?

Herodes

Weil ich nicht weiß, wie hart
Mich meine — Deine Mutter bei ihm verklagte!

Mariamne
(will reden)

Herodes

Gleichviel! Ich werd's erfahren. Eins nur muß ich
Aus Deinem Munde wissen, wissen muß ich,   390
Ob ich und wie ich mich vertheid'gen soll.

Mariamne

Ob Du —

Herodes

O Mariamne, frage nicht!
Du kennst den Zauber, der mich an Dich knüpft,
Du weißt, daß jeder Tag ihn noch verstärkte,
Du mußt es ja empfinden, daß ich jetzt   395
Nicht für mich kämpfen kann, wenn Du mir nicht
Versicherst, daß Dein Herz noch für mich schlägt!
O, sag' mir, wie, ob feurig oder kalt,
Dann werde ich Dir sagen, ob Antonius
Mich Bruder nennen, oder ob er mich   400
Zum Hungertod im unterird'schen Kerker,
In dem Jugurtha starb, verdammen wird!
Du schweigst? O, schweige nicht! Ich fühl' es wohl,
Daß dies Bekenntniß keinem König ziemt;
Er sollte nicht dem allgemeinen Loos   405
Der Menschheit unterworfen, sollte nicht
Im Innern an ein Wesen außer sich,
Er sollte nur an Gott gebunden sein!
Ich bin es nicht! Als Du vor einem Jahr
Im Sterben lagst, da ging ich damit um,   410
Mich selbst zu tödten, daß ich Deinen Tod
Nur nicht erlebe, und — dieß weißt Du nun,
Ein And'res wisse auch! Wenn ich einmal,
Ich selbst, im Sterben läge, könnt' ich thun,
Was Du von Salome erwartest, könnte   415
Ein Gift Dir mischen und im Wein Dir reichen,
Damit ich Dein im Tod noch sicher sei!

Mariamne

Wenn Du das thätest, würdest Du genesen!

Herodes

O nein! o nein! Ich theilte ja mit Dir!
420 Du aber sprich: ein Uebermaß von Liebe,
Wie dieses wäre, könntest Du's verzeih'n?

Mariamne

Wenn ich nach einem solchen Trunk auch nur
Zu einem letzten Wort noch Odem hätte,
So flucht' ich Dir mit diesem letzten Wort!

(für sich)

425 Ja, um so eher thät' ich das, je sich'rer
Ich selbst, wenn Dich der Tod von hinnen riefe,
In meinem Schmerz zum Dolche greifen könnte:
Das kann man thun, erleiden kann man's nicht!

Herodes

Im Feuer dieser Nacht hat sich ein Weib
430 Mit ihrem todten Mann verbrannt; man wollte
Sie retten, doch sie sträubte sich.   Dies Weib
Verachtest Du, nicht wahr?

Mariamne

           Wer sagt Dir das?
Sie ließ ja nicht zum Opferthier sich machen,
Sie hat sich selbst geopfert, das beweis't,
435 Daß ihr der Todte mehr war, als die Welt!

Herodes

Und Du?   Und ich?

Mariamne

           Wenn Du Dir sagen darfst,
Daß Du die Welt mir aufgewogen hast,
Was sollte mich wohl in der Welt noch halten?

Herodes

Die Welt!   Die Welt hat manchen König noch,
440 Und Keiner ist darunter, der mit Dir
Den Thron nicht theilte, der nicht Deinetwegen
Die Braut verließe und das Weib verstieße,
Und wär's am Morgen nach der Hochzeitsnacht!

Mariamne

Ist Cleopatra todt, daß Du so sprichst?

Herodes

Du bist so schön, daß Jeder, der Dich sieht,   445
An die Unsterblichkeit fast glauben muß,
Mit welcher sich die Pharisäer schmeicheln,
Weil Keiner faßt, daß je in ihm Dein Bild
Erlöschen kann; so schön, daß ich mich nicht
Verwundern würde, wenn die Berge plötzlich   450
Ein edleres Metall, als Gold und Silber,
Mir lieferten, um Dich damit zu schmücken,
Das sie zurückgehalten, bis Du kamst;
So schön, daß — — Ha! Und wissen, daß Du stirbst,
Sobald ein And'rer starb, aus Liebe stirbst,   455
Um dem, der Dir voranging, nachzueilen,
Und Dich in einer Sphäre, wo man ist
Und nicht mehr ist, ich stell' mir das so vor,
Als letzter Hauch zum letzten Hauch zu mischen —
Das wär' freiwill'gen Todes werth, das hieße   460
Jenseits des Grabes, wo das Grauen wohnt,
Noch ein Entzücken finden: Mariamne,
Darf ich dieß hoffen, oder muß ich fürchten,
Daß Du — Antonius hat nach Dir gefragt!

Mariamne

Man stellt auf Thaten keinen Schuldschein aus,   465
Viel weniger auf Schmerzen und auf Opfer,
Wie die Verzweiflung zwar, ich fühl's, sie bringen,
Doch nie die Liebe sie verlangen kann!

Herodes

Leb' wohl!

Mariamne

Leb' wohl! Ich weiß, Du kehrst zurück!
Dich tödtet (sie zeigt gen Himmel) Der allein!   470

Herodes

So klein die Angst?

Mariamne

So groß die Zuversicht!

Herodes

Die Liebe zittert!
Sie zittert selbst in einer Heldenbrust!

Mariamne

Die meine zittert nicht!

Herodes

Du zitterst nicht!

Mariamne

Nun fang ich an! Kannst Du nicht mehr vertrauen,
475 Seit Du den Bruder mir — Dann wehe mir
Und wehe Dir!

Herodes

Du hältst das Wort zurück,
Das schlichte Wort, wo ich auf einen Schwur
Von Dir gehofft: worauf noch soll ich bau'n?

Mariamne

Und leistete ich den, was bürgte Dir,
480 Daß ich ihn hielte? Immer nur ich selbst,
Mein Wesen, wie Du's kennst. D'rum denke ich,
Du fängst, da Du mit Hoffnung und Vertrau'n
Doch enden mußt, sogleich mit beiden an!
Geh! Geh! Ich kann nicht anders! Heut' noch nicht! (ab)

Vierte Scene

Herodes

485 Heut' nicht! Doch morgen, oder übermorgen! —
Sie will mir nach dem Tode Gutes thun!
Spricht so ein Weib? Zwar weiß ich's, daß sie oft,
Wenn ich sie schön genannt, ihr Angesicht
Verzog, bis sie es nicht mehr war. Auch weiß ich's
490 Daß sie nicht weinen kann, daß Krämpfe ihr,
Was Andern Thränengüsse sind! Auch weiß ich's,

Daß sie mit ihrem Bruder kurz vorher,
Eh' er im Bad den Tod fand, sich entzweit
Und dann die Unversöhnliche gespielt,
Ja, obend'rein, als er schon Leiche war,   495
Noch ein Geschenk von ihm erhalten hat,
Das er bei'm Gang in's Bad für sie gekauft.
Und doch! Spricht so ein Weib in dem Moment,
Wo sie den, den sie liebt, und wenigstens
Doch lieben soll — — Sie kehrt nicht wieder um,   500
Wie einst, als ich — — Sie ließ kein Tuch zurück,
Das ihr als Vorwand — — Nein, sie kann es tragen,
Daß ich mit diesem Eindruck — — Wohl, es sei!
Nach Alexandria — in's Grab — Gleichviel!
Doch Eins zuvor! Eins! Erd' und Himmel hört's!   505
Mir schwurst Du Nichts, Dir will ich Etwas schwören:
Ich stell' Dich unter's Schwert. Antonius,
Wenn er mich Deinetwegen fallen läßt,
Und Deiner Mutter wegen thut er's nicht!
Soll sich betrügen, sei's auch zweifelhaft,   510
Ob mir das Kleid, das mich im Sterben deckt,
Mit in die Grube folgt, weil mir ein Dieb
Es ja noch stehlen kann, Du sollst mir folgen!
Das steht nun fest! Wenn ich nicht wiederkehre,
So stirbst Du! Den Befehl laß' ich zurück!   515
Befehl! Da stößt ein böser Punct mir auf:
Was sichert mich, daß man mir noch gehorcht,
Wenn man mich nicht mehr fürchtet? O, es wird
Sich Einer finden, denk' ich, der vor ihr
Zu zittern hat!

Fünfte Scene

Ein Diener

Dein Schwäher!

Herodes

Ist willkommen!   520
Das ist mein Mann! Dem reiche ich mein Schwert
Und hetz' ihn dann durch Feigheit in den Muth
So tief hinein, bis er es braucht, wie ich!

Joseph
(tritt ein)

Ich höre, daß Du gleich nach Alexandrien
525 Zu gehen denkst, und wollte Abschied nehmen!

Herodes
Abschied! Vielleicht auf Nimmerwiederseh'n!

Joseph
Auf Nimmerwiederseh'n?

Herodes
Es könnte sein!

Joseph
Ich sah Dich nie, wie jetzt!

Herodes
Das sei Dir Bürge,
Daß es noch nie so mit mir stand, wie jetzt!

Joseph
530 Wenn Du den Muth verlierst —

Herodes
Das werd' ich nicht,
Denn, was auch kommt, ich trag' es, doch die Hoffnun
Verläßt mich, daß was Gutes kommen kann.

Joseph
So wollte ich, ich wäre blind gewesen
Und hätte Alexandras Heimlichkeiten
535 Nie aufgespürt!

Herodes
Das glaube ich Dir gern!

Joseph
Denn hätte ich das Bildniß nicht entdeckt,
Das sie vom Aristobolus geheim
Für den Antonius malen ließ, und hätt' ich
Ihr Botensenden an Cleopatra

Richt ausgespäht, und noch zuletzt den Sarg,   540
Der sie und ihren Sohn verbarg, im Hafen
Richt angehalten und die Flucht verhindert,
Die schon begonnen war —

Herodes
                    Dann hätte sie
Dir Nichts zu danken, und mit Ruhe könntest
Du ihre Tochter auf dem Throne seh'n,   545
Den sie, die kühne Maccabäerin,
Gewiß bestiegt, wenn ich nicht wiederkehre,
Und wenn vor ihr kein And'rer ihn besetzt.

Joseph
So mein' ich's nicht.   Ich meine, Manches wär'
Dann unterblieben!   550

Herodes
                    Manches!   Allerdings!
Doch manches And're wär' dafür gekommen.
Das gilt nun gleich. — Du zähltest Vieles auf,
Eins hast Du noch vergessen!

Joseph
                    Und das wäre?

Herodes
Du warst doch mit im Bade, als —

Joseph
                    Ich war's!

Herodes
Du rangst doch auch mit ihm?   555

Joseph
                    Im Anfang.   Ja.

Herodes
Nun denn!

Joseph
            In meinen Armen hat der Schwindel
Ihn nicht erfaßt und wäre es gescheh'n,

So hätt' ich ihn gerettet, oder er
Mich mit hinabgezogen in den Grund.

Herodes

560 Ich zweifle nicht daran.   Doch wirst Du wissen,
Daß Keiner, der dabei war, anders spricht,
Und da der böse Zufall will, daß Du
Ihn nicht bloß hinbegleitet, sondern auch
Mit ihm gerungen hast —

Joseph
Was hältst Du ein?

Herodes

565 Mein Joseph, Du und ich, wir alle Beide
Sind hart verklagt!

Joseph
Ich auch?

Herodes
Mein Schwäher freilich
Nicht bloß, auch mein vertrauter Freund bist Du!

Joseph
Deß schmeichl' ich mir!

Herodes
O, wärst Du's nie gewesen,
Hätt' ich, wie Saul, den Spieß nach Dir geworfen,
570 Könnt'st Du durch Todeswunden das beweisen,
Dir wäre besser, die Verläumdung hätte
Kein gläubig Ohr gefunden, und Du würdest
Für eine Bluthat, die Du nicht begingst,
Auch nicht enthauptet werden!

Joseph
Ich?   Enthauptet?

Herodes

575 Das ist dein Loos, wenn ich nicht wiederkehre
Und Mariamne —

Joseph
Aber ich bin schuldlos!

Herodes
Was hilft es Dir?   Der Schein ist gegen Dich!
Und sind denn nicht, gesetzt, daß man Dir glaubte,
Die vielen, vielen Dienste, die Du mir
Erwiesen hast, in Alexandras Augen   580
So viel Verbrechen gegen sie?   Wird sie
Nicht denken: Hätte der mich fliehen lassen,
So lebte noch, der jetzt im Grabe liegt?

Joseph
Wahr!   Wahr!

Herodes
Kann sie denn nicht mit einer Art
Von Recht Dein Leben für ein and'res fodern,   585
Das sie durch Deine Schuld verloren glaubt,
Und wird sie's nicht durch ihre Tochter thun?

Joseph
O Salome!   Das kommt von jenem Gang
Zum Maler!   Jahr für Jahr will sie von mir
Ein neues Bild!   590

Herodes
Ich weiß, wie sie Dich liebt!

Joseph
Ach, wär' es weniger, so stünd' es besser!
Hätt' ich das Bild des Aristobolus
Entdeckt, wenn ich — Nun kann sie denn ja bald
Mein letztes haben, ohne Kopf!

Herodes
Mein Joseph,
Den Kopf vertheidigt man!   595

Joseph
Wenn Du den Deinen
Verloren giebst?

Herodes

Das thu' ich doch nur halb,
Ich werd' ihn dadurch noch zu retten suchen,
Daß ich ihn selbst, freiwillig, in den Rachen
Des Löwen stecke!

Joseph

Einmal glückt' es Dir!
600 Als Dich die Pharisäer —

Herodes

Jetzt steht's schlimmer,
Doch was mit mir auch werde, Dein Geschick
Will ich in Deine eig'nen Hände legen:
Du warst schon stets ein Mann, sei jetzt ein König!
Ich hänge Dir den Purpurmantel um
605 Und reiche Dir den Zepter und das Schwert,
Halt's fest und gieb es nur an mich zurück!

Joseph

Versteh' ich Dich?

Herodes

Und daß Du den Besitz
Des Throns Dir und mit ihm Dein Leben sicherst,
So tödte Mariamne, wenn Du hörst,
610 Daß ich nicht wiederkehre.

Joseph

Mariamne?

Herodes

Sie ist das letzte Band, das Alexandra
Noch mit dem Volk verknüpft, seit ihr der Fluß
Den Sohn erstickte, ist der bunte Helmbusch,
Den die Empörung tragen wird, wenn sie
615 Sich gegen Dich erhebt —

Joseph

Doch Mariamne!

Herodes

Du staunst, daß ich — Ich will nicht heucheln, Joseph!
Mein Rath ist gut, ist gut für Dich, bedarf's
Der Worte noch? Doch geb' ich Dir ihn freilich
Nicht Deinetwegen bloß — G'rad aus, ich kann's   620
Nicht tragen, daß sie einem Andern jemals —
Das wär' mir bitt'rer, als — Sie ist zwar stolz —
Doch nach dem Tod — Und ein Antonius —
Und dann vor Allem diese Schwiegermutter,
Die Todten gegen Todten hetzen wird — —
Du mußt mich fassen!   625

Joseph

Aber —

Herodes

Hör' mich aus!
Sie ließ mich hoffen, daß sie selbst den Tod
Sich geben würde, wenn ich — Eine Schuld
Darf man doch einzieh'n lassen, wie? — Man darf
Selbst mit Gewalt — Was meinst Du?

Joseph

Nun, ich glaube!

Herodes

Versprich mir denn, daß Du sie tödten willst,   630
Wenn sie sich selbst nicht tödtet! Uebereil's nicht,
Doch säum' auch nicht zu lange! Geh zu ihr,
Sobald mein Bote, denn ich schicke Einen,
Dir meldet, daß es mit mir aus ist, sag's ihr
Und sieh, ob sie zu einem Dolche greift,   635
Ob sie was And'res thut. Versprichst Du's?

Joseph

Ja!

Herodes

Ich lasse Dich nicht schwören, denn man ließ
Noch Keinen schwören, daß er eine Schlange

H.U.M.—3

Zertreten wolle, die den Tod ihm droht.
640 Er thut's von selbst, wenn er bei Sinnen bleibt,
Da er das Essen und das Trinken eher
Gefahrlos unterlassen kann, als dieß.

Joseph
(macht eine Bewegung)

Herodes

Ich kenn' Dich ja! Und dem Antonius
Werd' ich Dich als den Einzigen empfehlen,
645 Dem er vertrauen darf. Du wirst ihm das
Dadurch beweisen, daß die Blutsverwandte
Dir nicht zu heilig ist, um sie zu opfern,
Wenn es Empörung zu ersticken gilt.
Denn dieß ist der Gesichtspunct für die That,
650 Aus dem Du ihm sie zeigen mußt. Ihr wird
Ein Straßen=Auflauf folgen, und Du meldest
Ihm, daß ein Aufruhr ihr vorher gegangen,
Und nur durch sie bezwungen worden sei.
Was dann das Volk betrifft, so wird es schaudern,
655 Wenn es Dein blut'ges Schwert erblickt, und Mancher
Wird sprechen: Diesen kannt' ich doch nur halb!
Und jetzt —

Joseph

Ich seh' Dich noch! Und nicht bloß heut',
Ich weiß gewiß, Du kehrst, wie sonst, zurück.

Herodes

Unmöglich ist es nicht, darum noch Eins! — — —
(lange Pause)
660 Ich schwur jetzt Etwas in Bezug auf Dich!
(er schreibt und siegelt)
Hier steht's! Nimm dieses Blatt versiegelt hin!
Du siehst, die Aufschrift lautet —

Joseph
An den Henker!

Herodes

Ich halte Dir, was ich Dir d'rin versprach,
Wenn Du vielleicht ein Stück von einem König
Erzählen solltest, der —   665

Joseph

Dann gieb mir auf,
Dies Blatt dem Henker selbst zu überreichen! (ab)

Sechste Scene

Herodes
(allein)

Nun lebt sie unter'm Schwert! Das wird mich
                                        spornen,
Zu thun, was ich noch nie gethan; zu dulden,
Was ich noch nie geduldet, und mich trösten,
Wenn es umsonst geschieht! Nun fort! — (ab)   670

Zweiter Act

Burg Zion. Alexandras Gemächer

Erste Scene

Alexandra und Sameas

Alexandra

Dieß weißt Du nun!

Sameas

Es überrascht mich nicht!
Nein, vom Herodes überrascht mich Nichts!
Denn wer als Jüngling dem Synedrium
Schon Krieg erklärt, wer mit der blanken Waffe
Vor seinen Richter hintritt und ihn mahnt,   675
Daß er der Henker ist, und daß der Henker
Kein Todesurtheil an sich selbst vollzieht,
Der mag als Mann — — Ha, ich erblick' ihn noch,
Wie er, dem Hohenpriester gegenüber,
Sich an die Säule lehnte und, umringt   680
Von seinen Söldnern, die im Räuberfangen

Sich selbst in Räuber umgewandelt hatten,
Uns Alle überzählte, Kopf für Kopf,
Als stünde er vor einem Distelbeet
685 Und sänne nach, wie es zu säubern sei.

Alexandra

Ja, ja, es war ein Augenblick für ihn,
An den er sich mit Stolz erinnern mag!
Ein junger Tollkopf, der die Zwanzig kaum
Erreicht, wird vor's Synedrium gestellt,
690 Weil er in frevelhaftem Uebermuth
Sich einen Angriff auf's Gesetz erlaubt,
Weil er ein Todesurtheil, das von Euch
Noch nicht gesprochen ward, vollzogen hat.
Des Todten Wittwe tritt ihm an der Schwelle
695 Mit ihrem Fluch entgegen, d'rinnen sitzt,
Was alt und grau ist in Jerusalem.
Doch weil er nicht im Sack kommt und mit Asche
Sein Haupt bestreut, so wird's Euch schwach zu Muth;
Ihr denkt nicht mehr daran, ihn zu bestrafen,
700 Ihr denkt nicht einmal d'ran, ihn zu bedräuen,
Ihr sagt ihm Nichts, er lacht Euch aus und geht!

Sameas

Ich sprach!

Alexandra

Als es zu spät war!

Sameas

Hätt' ich's eher
Gethan, so wäre es zu früh gewesen,
Ich schwieg aus Ehrfurcht vor dem Hohenpriester,
705 Dem stand das erste Wort zu, mir das letzte,
Er war der Aelteste, der Jüngste ich!

Alexandra

Gleichviel! Wenn Ihr in jenem Augenblick
Den schlichten Muth der Pflicht bewiesen hättet,
So würde jetzt kein größ'rer nöthig sein!
710 Doch nun seht zu, ob Ihr — — Ei was, Euch bleibt

Auch wohl ein and'rer Ausweg noch!   Wenn Ihr
Mit ihm nicht kämpfen wollt, und in der That,
Es wär' gewagt, ich rath' Euch ab, so braucht
Ihr mit dem Löwen oder mit dem Tiger
Den Kampf nur einzugeh'n, den er befiehlt!   715

Sameas

Was redest Du?

Alexandra
Du kennst die Fechterspiele
Der Römer doch?

Sameas
Gott Lob, ich kenn' sie nicht!
Ich halt' es für Gewinn, Nichts von den Heiden
Zu wissen, als was Moses uns erzählt;
Ich mache jedes Mal die Augen zu,   720
Wenn mir ein römischer Soldat begegnet,
Und segne meinen Vater noch im Grabe,
Daß er mich ihre Sprache nicht gelehrt.

Alexandra
So weißt Du nicht, daß sie die wilden Thiere
Aus Afrika zu Hunderten nach Rom   725
Hinüber schaffen?

Sameas
Nein, ich weiß es nicht!

Alexandra
Daß sie sie dort in steinerner Arena
Zusammen treiben, daß sie ihnen Sclaven
Entgegen hetzen, die auf Tod und Leben
Mit ihnen kämpfen müssen, während sie   730
Im Kreis herum auf hohen Bänken sitzen
Und jubeln, wenn die Todeswunden klaffen,
Und wenn das rothe Blut den Sand bespritzt?

Sameas
Das hat der wildeste von meinen Träumen
Mir nicht gezeigt, doch freut's mich in der Seele,   735

Wenn sie es thun, es schickt sich wohl für sie!

(mit erhobenen Händen)

Herr, Du bist groß! Wenn Du dem Heiden auch
Das Leben gönnst, so muß er Dir dafür
Doch einen gräßlichen Tribut bezahlen,
740 Du strafst ihn durch die Art, wie er es braucht!
Die Spiele mögt' ich seh'n!

Alexandra

Der Wunsch wird Dir
Erfüllt, sobald Herodes wiederkehrt,
Er denkt sie einzuführen!

Sameas

Nimmermehr!

Alexandra

Ich sagt' es Dir! Warum auch nicht? Wir haben
745 Der Löwen ja genug! Der Berghirt wird
Sich freuen, wenn sich ihre Zahl vermindert,
Er spart dann manches Rind und manches Kalb.

Sameas

Vom Uebrigen noch abgeseh'n, wo fände
Er Kämpfer? Sclaven giebt es nicht bei uns,
750 Die ihm auf Tod und Leben pflichtig sind.

Alexandra

Den Ersten — seh' ich vor mir!

Sameas

Wie?

Alexandra

Gewiß!

Du wirst, wie jetzt, Dein Angesicht verzieh'n,
Du wirst vielleicht sogar die Fäuste ballen,
Die Augen rollen und die Zähne fletschen,
755 Wenn Du den großen Tag erlebst, an dem
Er feierlich, wie Salomo den Tempel,
Die heidnische Arena weihen wird.

Das wird ihm nicht entgeh'n, und deß zum Lohn
Wird er den Wink Dir geben, einzutreten
Und allem Volk zu zeigen, was Du kannst,   760
Wenn Du dem Löwen gegenüber stehst,
Der Tage lang vorher gehungert hat.
Denn, da es uns an Sclaven fehlt, so sollen
Die todeswürdigen Verbrecher sie
Ersetzen, und wer wär' noch todeswürdig,   765
Wenn der nicht, der dem König offen trotzt!

Sameas

Er könnte —

Alexandra

    Zweifle nicht! Es wäre schlimm,
Wenn ihm zu früh der Kopf genommen würde,
Es würden Pläne mit ihm untergeh'n,
Die selbst Pompejus, der doch heidenkeck   770
In's Allerheiligste zu treten wagte,
Vielleicht —

Sameas
(ausbrechend)

Antonius, wenn Du ihn packst,
So will ich Dich ein Jahr lang nicht verfluchen!
Und thust Du's nicht, so — — Nun, wir sind bereit!

Alexandra

Er meint, wenn unser Volk sich mit den andern   775
Nicht mischen sollte, würden wir den Erdball
Von Gott für uns allein erhalten haben!

Sameas

Meint er?

Alexandra

    Da dem nun aber nicht so sei,
So thu' es noth, die Dämme zu durchstechen,
Die uns, wie einen steh'nden See vom Meer,   780
Von allen übrigen noch immer trennten,
Und das geschehe dadurch, daß wir uns
In Brauch und Sitte ihnen anbequemten.

ambition

Sameas

In Brauch und — (gen Himmel) Herr! wenn ich nicht
rasen soll,

785 So zeig' mir an, wie dieser sterben wird!
Zeig' mir den Tod, der jedem andern Tod
Die Schrecken abborgt und verkünde mir,
Daß es Herodes ist, für den er's thut!

Alexandra

Mach' Du den Todes=Engel!

Sameas

Wenn an ihm nicht,

790 So an mir selbst! Ich schwör's! Wenn ich den Gräuel
Nicht hindern kann, so will ich meine Ohnmacht
Durch Selbstmord strafen, (mit einer Bewegung gegen die
Brust)
eh' der Tag noch kommt,
Den er zum ersten Mal beflecken soll!
Das ist ein Schwur, der eine Missethat
795 Mir abbringt, wenn ich einer Heldenthat
Nicht fähig bin; wer schwur noch Größeres?

Alexandra

Wohl! Nur vergiß nicht: wenn der eig'ne Arm
Nicht stark genug ist, um den Feind zu stürzen,
So muß man einen fremden nicht verschmäh'n!

Sameas

800 Und diesen fremden?

Alexandra
Waffnest Du Dir leicht!

Sameas

Sprich deutlicher!
Alexandra
Wer setzte den Herodes
Zum König ein?

Sameas

Antonius! Wer sonst?

Alexandra

Deswegen that er's?

Sameas

Weil er ihm gefiel!
Vielleicht auch bloß, weil er uns nicht gefiel!
Dann hat ein Heide einen bessern Grund? 805

Alexandra

Und weiter! Was erhält ihn auf dem Thron?

Sameas

Des Volkes Segen nicht! Vielleicht sein Fluch!
Wer kann es sagen?

Alexandra

Ich! Nichts, als der Pfiff,
Den Zins, den wir dem Römer zahlen müssen,
Alljährlich vor'm Verfalltag einzuschicken 810
Und ihn sogar freiwillig zu verdoppeln,
Wenn sich ein neuer Krieg entzündet hat.
Der Römer will nur unser Gold, nicht mehr,
Er läßt uns unsern Glauben, unsern Gott,
Er würde ihn sogar mit uns verehren, 815
Und neben Jupiter und Ops und Isis
Ihm auf dem Capitol den Winkel gönnen,
Der unbesetzt geblieben ist bis heut',
Wär' er nur auch, wie die, von Stein gemacht.

Sameas

Wenn dem so ist, und leider ist es so, 820
Was hast Du von Antonius zu hoffen?
In diesem Punct, Du selber sprachst es aus,
Versäumt Herodes Nichts. Noch jetzt — ich habe
Ihn ziehen seh'n! Dem einen Maulthier brach
Der Rückgrat, eh' es noch das Thor erreichte! 825
Für jeden Tropfen Bluts in seinen Adern

H.U.M.—3*

Bringt er ihm eine Unze Goldes dar:
Glaubst Du, er weist es Deinethalb zurück?

Alexandra

Gewiß nicht, führt' ich meine Sache selbst!
830 Allein das thut Cleopatra für mich,
Und hoffentlich thut's Mariamne auch.
Du staunst? Versteh mich recht! Nicht in Person,
Da kehrt sie sich wohl eher gegen mich,
Nur durch ihr Bild, und nicht einmal durch das,
835 Nein, durch ein and'res, das ihr freilich gleicht.
Denn wie ein wilder Wald nicht bloß den Löwen
Beherbergt, auch den Tiger, seinen Feind,
So nistet auch in dieses Römers Herzen
Ein ganzes Wurmgeschlecht von Leidenschaften,
840 Die um die Herrschaft mit einander ringen,
Und wenn Herodes auf die erste baut,
Ich baue auf die zweite, und ich glaube,
Daß die der andern überlegen ist.

Sameas

Du bist —

Alexandra

Kein Hirkan, wenn auch seine Tochter!
845 Doch, daß Du nicht mißdeutest, was ich that:
Ich bin auch Mariamne nicht! Und wenn
Antonius den Gemahl, der sie besitzt,
Vertilgt, um sich den Weg zu ihr zu bahnen:
Sie bleibt die Herrin ihrer selbst und kann
850 Sich hüllen in ein ew'ges Wittwenkleid.
Deß aber halt' ich mich gewiß, schon hat er
Die Hand an's Schwert gelegt, und wenn er's noch
Nicht zog, so hielt ihn nur die Rücksicht ab,
Daß dieser glückliche Soldat Herodes
855 Den Römern für den Ring von Eisen gilt,
Der Alles hier bei uns zusammen hält.
Schaff' Du ihm den Beweis des Gegentheils,
Erreg' Empörung, stör' den schlaffen Frieden,
So wird er's zieh'n!

Sameas
Den schaffe ich ihm leicht!
Schon schlug das Volk ihn in Gedanken todt,   860
Es wird erzählt —

Alexandra
Drück' Du Dein Siegel d'rauf,
Und dann eröffne rasch sein Testament!
Den Inhalt kennst Du jetzt, die Fechterspiele
Steh'n obenan, und wenn ein Jeder sich
Durch seinen Tod um hundert Ruthenstreiche   865
Verkürzt glaubt, oder um das Marterkreuz,
So glaubt ein Jeder, was er glauben darf.
Denn Dinge stehen Israel bevor,
Die manchem Herzen den Verzweiflungswunsch
Abdringen werden, daß das rothe Meer   870
Das ganze Volk, die heiligen zwölf Stämme,
Verschlungen hätt', und Moses selbst zuerst.

Sameas
Ich geh! und eh' der Mittag kommt —

Alexandra
Ich weiß,
Was Du vermagst, wenn Du den Sack ergreifst
Und Wehe! rufend, durch die Gassen ziehst,   875
Als wär' Dein Vorfahr Jonas wieder da.
Es wird sich zeigen, daß es nützlich ist,
Zuweilen bei dem Fischer vorzusprechen,
Und mit dem Herrn Gevatter zu verzehren,
Was er sich selbst gönnt, weil es Niemand käuft.   880

Sameas
Es wird sich zeigen, daß wir Pharisäer
Die Schmach, die wir erlitten, nicht vergaßen,
Wie Du zu meinen scheinst.   Vernimm denn jetzt,
Was Du erst durch die That erfahren solltest:
Wir sind schon längst verschworen gegen ihn,   885
Wir haben ganz Judäa unterwühlt.

Und in Jerusalem, — damit Du siehst,
Wie fest wir auf das Volk zu zählen haben, —
Ist selbst ein Blinder mit in unserm Bund!

Alexandra

890 Was nützt Euch der?

Sameas

                Nichts! und er weiß es selbst!
Doch ist er so von Haß und Grimm erfüllt,
Daß er das Unternehmen mit uns theilen
Und lieber sterben, als in dieser Welt,
Wenn es mißlingt, noch länger leben will.
895 Ich denke doch, daß dieß ein Zeichen ist! (ab)

Zweite Scene

Alexandra

(allein)

Schon schlug das Volk ihn in Gedanken todt!
Ich weiß! Ich weiß! Und daran känn ich seh'n,
Wie sehr man's wünscht, daß er nicht wiederkehrt.
Es traf sich gut, daß ihn der Heuschreck=Schwarm
900 Bedeckte, als er fortzog, denn das gilt
Als Omen, daß man's nicht vergebens wünscht.
Auch ist es möglich, daß er wirklich jetzt
Schon ohne Kopf — — Das nicht!   Sprich, wie Du
                                                denkst,

Der Pharisäer lauscht nicht vor der Thür!
905 Antonius ist zwar Antonius,
Doch auch ein Römer, und ein Römer fällt
Das Urtheil langsam, wie er's schnell vollzieht.
Gefang'ner mag er sein, wenn er auch nicht
Im Kerker sitzt! Und wenn man das benutzt,
910 Kann's weiter führen.   Darum ist es gut,
Wenn jetzt ein Aufstand kommt, obgleich ich weiß,
Was es an sich bedeutet, und nicht minder,
Was es für Folgen haben wird, wenn er
Doch noch zurückkehrt.   Wenn!   Es kann gescheh'n,
915 Bedenk' es wohl!   Er schickte, als er ging,

Dir einen abgeschlag'nen Kopf zum Abschied,
Das zeigt Dir — pfui, ich sprech' ja, wie mein Vater!
Es zeigt mir, daß er rasch ist, wie Tyrannen
Es sind, und auch, daß er mich schrecken mögte.
Das Eine wußt' ich längst, das And're soll   920
Ihm nicht gelingen!   Wenn das Schlimmste käme,
Wenn Alles mir mißglückte, und wenn er,
Trotz seiner Leidenschaft für Mariamne,
Die eher steigt, als fällt, und die mich schützt,
Sobald sie selbst nur will, das Aergste wagte —   925
Was wär's?   Um Rache setzt' ich Alles ein,
Und Rache würde mir im Tode noch,
Rache an ihm, der's thäte, und an ihr,
Die es geschehen ließe, nimmer sähe
Das Volk, und nimmer Rom, geduldig zu.   930
Und was mich selbst betrifft, so würde ich
In diesem blut'gen Fall nur um so besser
Zu meinen Ahnen passen!   Mußten doch
Die meisten meines Stamms, die Aeltermütter,
Wie Aelterväter, ohne Kopf die Welt   935
Verlassen, weil sie ihn nicht beugen wollten,
Ich theilte dann ihr Loos, was wär' es mehr?

Dritte Scene

Mariamne tritt ein

Alexandra

(für sich)

Sie kommt!   Ja, wär' sie von ihm abzuzieh'n
Und zu bewegen, mir nach Rom zu folgen,
Dann — Doch, sie haßt und liebt ihn jetzt zugleich!   940
Wag' ich noch einen letzten Sturm?   Es sei!

(sie eilt auf Mariamne zu)

Du suchst den Trost, wo er zu finden ist!
Komm an mein Herz!

Mariamne

Den Trost?

Alexandra

Brauchst Du ihn nicht?
Dann hab' ich Dich verkannt! Doch hatt' ich Grund
945 Dich für ein Weib, wie Du kein's bist, zu halten,
Du warst bei mir verläumdet!

Mariamne

Ich? Bei Dir?

Alexandra

Man sprach mir von Umarmungen und Küssen,
Die Du dem brudermörd'rischen Gemahl
Gleich nach dem Mord — Verzeih', ich hätte es
950 Nicht glauben sollen.

Mariamne

Nicht?

Alexandra

Nein! Nimmermehr!
Aus mehr als einem Grund nicht! Hättest Du
Dem blut'gen Schatten Deines Bruders auch
Das schwesterliche Opfer einer Rache
Herzlos entziehen können, die Du nicht
955 Durch Judiths Schwert und nicht durch Rahabs Nagel
Nein, einzig durch ein Wenden Deines Mundes
Und durch ein stilles Kreuzen Deiner Arme
Dir nehmen und dem Todten weihen solltest:
Er selbst, der Mörder, hätte nicht gewagt,
960 Sich Dir zu nähern, denn Du gleichst dem Todten,
Du wärst ihm vorgekommen, wie der Leichnam
Des Aristobolus, den man geschminkt,
Er hätt' sich schaudernd von Dir abgewandt.

Mariamne

Er that das Eine nicht, noch ich das And're!

Alexandra

965 So sei — Doch nein! Vielleicht blieb Dir ein Zweifel
An seiner Schuld noch. Willst Du den Beweis?

Mariamne

Ich brauch' ihn nicht!

Alexandra

Du brauchst —

Mariamne

Er gilt mir Nichts!

Alexandra

Dann — Doch ich halt' den Fluch auch jetzt zurück,
Es hat Dich ja ein and'rer schon getroffen!
Du gehst noch in den Ketten einer Liebe,   970
Die niemals ruhmvoll war —

Mariamne

Ich dächte doch,
Ich hätt' mir den Gemahl nicht selbst gewählt,
Ich hätte mich nur in das Loos gefügt,
Das Du und Hyrkan über mich, die Tochter
Und Enkelin, mit Vorbedacht verhängt.   975

Alexandra

Ich nicht, mein feiger Vater schloß den Bund.

Mariamne

So that er, was Dir nicht gefiel?

Alexandra

Das nicht!
Sonst wäre ich zuvor mit Dir entfloh'n,
Mir stand die Freistatt in Egypten offen,
Ich sag' nur, der Entschluß ging aus von ihm,   980
Dem ersten Hohenpriester ohne Muth,
Und ich bekämpfte bloß den Widerwillen,
Mit dem ich Anfangs ihn vernahm.   Allein
Ich that es, denn ich fand des Feiglings Handel
In Kurzem gut, und gab für Edoms Schwert   985
Die Perle Zions, als er drängte, hin!
Ja, wär' die Schlange, die Cleopatra
In jene Zeit gestochen, eine gift'ge
Gewesen, oder wär' Antonius

990 Auch nur auf seinem Zug hieher gekommen,
Ich hätte Nein gesagt! Nun sagt' ich Ja!

Mariamne

Und dennoch —

Alexandra

Ich erwartete von Dir,
Daß Du den Kaufpreis nicht vertändeln würdest,
Und daß Du den Herodes —

Mariamne

O, ich weiß!
995 Ich hätte mir von ihm für jeden Kuß
Im Voraus einen Kopf, der Dir mißfiel,
Bedingen und zuletzt, wenn keiner Dir
Mehr trotzte, als sein eig'ner, ihn zum Selbstmord
Bewegen, oder auch, wenn das nicht ging,
1000 An ihm in stiller Nacht die Katzenthat
Der Judith listig wiederholen sollen,
Dann hätt'st Du mich mit Stolz Dein Kind genannt!

Alexandra

Mit größerem, als jetzt, ich läugn' es nicht.

Mariamne

Ich zog es vor, dem Mann ein Weib zu sein,
1005 Dem Du mich zugeführt, und über ihn
Die Maccabäerin so zu vergessen,
Wie er den König über mich vergaß.

Alexandra

Du schienst Dich doch in Jericho auf sie
Noch einmal zu besinnen, wenigstens
1010 Warst Du die Erste, die mit einer Klage
Hervortrat, als ich selbst sie noch zurückhielt,
Um Dich zu prüfen. War's nicht so?

Mariamne

In Jericho
Verwirrte mich das gräßliche Ereigniß,
Es kam zu schnell, vom Tisch in's Bad, vom Bad

In's Grab, ein Bruder, ja, mir schwindelte!   1015
Doch, wenn ich meinem König und Gemahl
Argwöhnisch und verstockt die Thür verschloß,
Bereu' ich's jetzt, und kann's mir nur verzeih'n,
Weil es gescheh'n ist, wie in Fiebers Glut!

Alexandra
In Fiebers Glut!   1020

Mariamne
(halb für sich)
    Auch hätt' ich's nicht gethan,
Wär' er in Trauerkleidern nicht gekommen!
Roth, dunkelroth hätt' ich ihn sehen können,
Doch —

Alexandra
    Ja, die fand er rasch! Er hatte sie
Voraus bestellt, wie and're Mörder sich,
Wo möglich, Wasser schöpfen, eh' sie morden —   1025

Mariamne
Mutter, vergiß nicht!

Alexandra
    Was? Daß Du das Weib
Des Mörders bist? Das bist Du erst geworden,
Und bist es nur so lange, als Du willst,
Ja, bist's vielleicht, wer weiß! schon jetzt nicht mehr,
Des Todten Schwester aber warst Du stets   1030
Und wirst es bleiben, wirst es dann sogar
Noch sein, wenn Du — Du scheinst dazu geneigt —
In's Grab ihm nachrufst: Dir ist recht gescheh'n!

Mariamne
Ich bin Dir Ehrfurcht schuldig, und ich mögte
Sie nicht verletzen, darum halte ein!   1035
Ich könnte sonst —

Alexandra
    Was könntest Du?

Mariamne

       Mich fragen,
Wer Schuld ist an der That, ob der, der sie
Vollbrachte, weil er mußte, oder die,
Die sie ihm abdrang! Laß den Todten ruh'n!

Alexandra

1040 So sprich zu Einer, die ihn nicht gebar!
Ich trug ihn unter'm Herzen, und ich muß
Ihn rächen, da ich ihn nicht wecken kann,
Daß er sich selber räche!

Mariamne

       Räch' ihn denn,
Doch räch' ihn an Dir selbst! Du weißt recht gut,
1045 Daß es der Hohepriester war, der rings
Vom Volk Umjauchzte, selbst schon Schwindelnde,
Und nicht der Jüngling Aristobolus,
Der gegen sich hervorrief, was geschah.
Wer trieb den Jüngling nun, das sag' mir an,
1050 Aus seiner Selbstzufriedenheit heraus?
Es fehlt' ihm ja an bunten Röcken nicht,
Die Blicke schöner Mädchen anzuzieh'n,
Und mehr bedurft' er nicht zur Seligkeit.
Was sollt' ihm Aarons Priestermantel noch,
1055 Den Du zum Ueberfluß ihm überhingst?
Ihm kam von selbst ja kein Gedanke d'rin,
Als der: wie steht er mir? Doch And're hielten
Ihn seit dem Augenblick, daß er ihn trug,
Für's zweite Haupt von Israel, und Dir
1060 Gelang es bald, ihn selbst so zu bethören,
Daß er sich für das erste, einz'ge hielt!

Alexandra

Du lästerst ihn und mich!

Mariamne

       Ich thu' es nicht!
Wenn dieser Jüngling, der geboren schien,
Der Welt den ersten Glücklichen zu zeigen,

Wenn er so rasch ein dunkles Ende fand, 1065
Und wenn der Mann, der jeden andern Mann,
Wie er sein Schwert nur zieht, zum Weibe macht,
Wenn er — ich weiß nicht, ob er's that, doch fürcht'
ich's;
Dann tragen Ehrsucht, Herrschgier, zwar die Schuld,
Doch nicht die Ehrsucht, die der Todte hegte, 1070
Und nicht die Herrschgier, die den König plagt!
Ich will Dich nicht verklagen, mir geziemt's nicht,
Ich will dafür, daß Du uns ein Gespenst,
Ein blut'ges, in die Ehekammer schicktest,
Von Dir nicht eine Reuethräne seh'n, 1075
Obgleich wir nie jetzt mehr zu Zweien sind,
Und mir der Dritte so den Sinn verstört,
Daß ich verstumme, wenn ich reden sollte,
Und daß ich rede, wenn zu schweigen wär';
Ich will nicht einmal Deinen Rachedurst 1080
Ersticken, will nicht fragen, was Du rächst,
Ob Deine Pläne oder Deinen Sohn:
Thu, was Du willst, geh weiter, halte ein,
Nur sei gewiß, daß Du, wenn Du Herodes
Zu treffen weißt, auch Mariamne triffst; 1085
Den Schwur, den ich zurückhielt, als er scheidend
Ihn foderte, den leist' ich jetzt: Ich sterbe,
Wenn er stirbt.   Handle denn und sprich nicht mehr!

Alexandra
So stirb! Und gleich! Denn —

Mariamne
Ich verstehe Dich
Und deshalb glaubtest Du, ich brauchte Trost? 1090
O nein!   Du irrst!   Es schreckt mich nicht,
Wenn das Gesindel, das die Auserwählten
Nur, weil sie menschlich-sterblich sind, erträgt,
Ihn mit dem Mund schon todtgeschlagen hat.
Was bleibt dem Sclaven übrig, wenn der König 1095
In Pracht und Herrlichkeit vorüberbraus't,
Als sich zu sagen: Er muß d'ran, wie ich!

Ich gönn' ihm das!   Und wenn er an den Thron
Ganz dicht ein Schlachtfeld rückt mit tausend Gräbern,
1100 So lob' ich's, es erstickt in ihm den Neid!
Doch, daß Herodes lebt und leben wird,
Sagt mir mein Herz. Der Tod wirft einen Schatten,
Und der fällt hier hinein!

Vierte Scene

Ein Diener
Der Vicekönig!

Alexandra
Gewiß bewaffnet, wie er immer ist,
1105 Wenn er zu uns kommt, seit es ihm mißlang,
Durch Schmeichelei den Sinn uns zu bethören,
Wie er's im Anfang zu versuchen schien.
Weißt Du, daß Salome in jener Zeit
Vor Eifersucht verging?

Mariamne
Sie thut's noch jetzt!
1110 Denn lächelnd und vertraulich sag' ich ihm,
Wenn sie dabei ist, stets die schlimmsten Dinge,
Und da sie selbst nicht müde wird, zu späh'n,
So werde ich nicht müde, sie zu strafen
Für ihre Thorheit!

Joseph
(tritt ein)

Alexandra
(auf Josephs Waffen deutend)
Siehst Du?

Mariamne
Mag er doch!
1115 Sein Weib verlangt's, damit sie träumen kann,
Sie habe einen krieg'rischen Gemahl.

Alexandra
(zu Joseph)
Ich bin noch da!

Joseph
Ein seltsamer Empfang.

Alexandra
Mein Sohn ist auch noch da! Er hat, wie einst,
In eine Todtenkiste sich versteckt.
Jag' ihn heraus, ich will's dafür verzeih'n,   1120
Daß Du das einmal ungeheißen thatst.
Du mußt die Kiste aber diesmal nicht
Auf einem Schiff, das nach Egypten segelt,
Du mußt sie suchen in des Kirchhofs Bauch!

Joseph
Ich bin nicht der, der Todte wecken kann!   1125

Alexandra
(mit Hohn gegen Mariamne)
Wohl wahr! Sonst wär'st Du sicher mitgezogen,
Um Deinen Herrn, wenn ihn sein Knie'n und Fleh'n
Vor dem Lictoren=Beil nicht schützen sollte —

Mariamne
Er kniet und fleht!

Joseph
(zu Mariamne)
Ich kann Dir zeigen wie!
„Man hat mich deß gezieh'n!" Ich räum' es ein.   1130
„Deß aber nicht!" Ich füg' es gleich hinzu,
Damit Du Alles weißt! — So wird er's machen.

Alexandra
Prahlst Du für ihn?

Joseph
So hat er's schon gemacht!
Ich stand dabei, da ihn die Pharisäer
Verklagen wollten bei'm Antonius.   1135
Er hatte es statt ihrer selbst gethan,
Vorausgeeilt in's Lager, wie er war,
Und sagte, als sie kamen, Punct für Punct

Die Rechnung wiederholend und ergänzend:
1140 Sprecht, ob ich Etwas ausließ oder nicht!
Den Ausfall kennst Du, Mancher von den Klägern
Verlor den starren Kopf, als sie nicht wichen,
Er trug des Römers volle Gunst davon.

Alexandra

Da waren Beide jünger, wie sie jetzt sind.
1145 Des Einen Uebermuth gefiel dem Andern,
Und um so mehr, weil er auf fremde Kosten
Geübt ward, nicht auf eig'ne.   Kann dem Römer
Der Pharisäer denn was sein, deß Zunge
Beständig Aufruhr predigt gegen Rom?
1150 Wer dem den Bart rauft, kürzt sein Anseh'n! dachte
Antonius und lachte, doch ich zweifle,
Ob er das auch gescheh'n läßt an sich selbst!

Joseph

Du sprichst, als wünschtest Du —

Alexandra

                              Ob uns're Wünsche
Zusammengeh'n, ob nicht, was kümmert's Dich?
1155 Halt Du den Deinen fest!   Für Dich ist's wichtig,
Daß er zurückkehrt!

Joseph

              Meinst Du?   Wenn für mich,
So auch für Dich!

Alexandra

              Ich wüßte nicht, warum?
Es gab schon einmal eine Alexandra,
Die eine Krone trug in Israel,
1160 Die zugriff, als sie frei geworden war,
Und sie nicht liegen ließ für einen Dieb.
Es soll, bei Gott, nicht an der zweiten fehlen,
Wenn's wirklich (zu Mariamne) Maccabäerinnen giebt,
Die kind'sche Schwüre halten!

Joseph
(aushorchend)

Es ist wahr!
Solch eine Alexandra gab's einmal,   1165
Doch, wer ihr Ziel erreichen will, der muß
Ihr Beispiel ganz befolgen, nicht nur halb.
Sie söhnte sich, als sie den Thron bestieg,
Mit allen ihren Feinden aus, nun hatte
Niemand von ihr zu fürchten, nur zu hoffen,   1170
Kein Wunder, daß sie fest saß bis zum Tod!

Mariamne
Das find' ich kläglich! Wozu einen Zepter,
Wenn nicht, um Haß und Liebe zu befried'gen?
Die Fliegen zu verscheuchen g'nügt ein Zweig!

Joseph
Sehr wahr! (zu Alexandra) Und Du?   1175

Alexandra
Sie sah im Traum wohl nie
Den Ahnherrn ihres Stamms, den großen Judas,
Sonst hätt' sie wahrlich keinen Feind gescheut,
Denn noch vom Grab' aus schützt er seine Enkel,
Weil er in keinem Herzen sterben kann.
Wie sollt' er auch! Es kann ja Niemand beten,   1180
Der sich nicht sagen muß: ich dank' es ihm,
Daß ich noch knieen darf vor meinem Gott
Und nicht vor Holz, vor Erz und Stein!

Joseph
(für sich)

Der König
Hat recht gehabt! Ich muß die That vollbringen,
Und zwar an Beiden, oder sie erleiden.   1185
Ich muß mir auf das Haupt die Krone setzen,
Wenn ich's vor'm Beil des Henkers sichern will.
Hier starrt mir eine Welt von Haß entgegen!
Wohlan, sie sprachen sich das Urtheil selbst;
Ich hab' sie jetzt zum letzten Mal geprüft,   1190

Und wäre nur sein Bote da, ich würde
Es mitleidslos den Augenblick vollzieh'n!
Jedwede Vorbereitung ist getroffen.,

Fünfte Scene

Ein Diener

Der Hauptmann Titus bittet um Gehör!

Joseph

1195 Sogleich! (will gehen)

Alexandra

Warum nicht hier?

Der Diener

Da ist er schon!

Titus

(tritt ein; zu Joseph, heimlich)

Was Du befürchtetest geschieht, das Volk
Empört sich!

Joseph

Thu denn rasch, was ich befahl,
Stell' die Cohorte auf und rücke aus!

Titus

Das that ich schon.   Nun komm' ich, Dich zu fragen,
1200 Ob Du Gefang'ne oder Todte willst?
Mein Adler packt so gut, als er zerfleischt,
Und Du mußt wissen, was Dir besser frommt.

Joseph

Blut darf nicht fließen!

Titus

Gut!   So hau' ich ein,
Eh' sie die Steinigung begonnen haben,
1205 Sonst thät' ich's später!

Joseph

Sahst Du Sameas?

Titus

Den Pharisäer, der sich einst die Stirn
An meinem Schild fast einstieß, weil er stets
Die Augen schließt, sobald er mich erblickt?
Den sah ich allerdings!

Joseph
Und wie? Sprich laut!

Titus

Auf off'nem Markt, von Tausenden umringt,   1210
Herodes laut verfluchend!

Joseph
(zu Alexandra)
Sameas

Ging erst vor einer Stunde fort von Dir!

Alexandra

Sahst Du's?

Titus
(zu Joseph)
Erscheinst Du selbst?

Joseph

Sobald ich kann!

Einstweilen —

Titus
Wohl! Ich geh'!
(will gehen)

Alexandra
(ruft ihn um)
Ein Wort noch, Hauptmann!

Warum entzogst Du uns die Wache?   1215

Mariamne
Fehlt sie?

Alexandra

Seit gestern Abend. Ja!

Joseph

Weil ich's gebot!

Titus

Und weil der König, als er ging, mir sagte:
Dieß ist der Mann, der meinen Willen weiß,
Was er gebietet, das gebiet' ich selbst! (ab)

Alexandra

(zu Joseph)

1220 Und Du?

Joseph

Ich dachte, Judas Maccabäus
Wär' Schutz genug für Dich und Deine Tochter.
Im Uebrigen, Du hörst, wie's draußen steht:
Ich brauche die Soldaten! (für sich) Wenn die Römer
So nahe wären, könnt' es mir mißglücken!
1225 Heut' schick' ich Galiläer!

Alexandra

(zu Mariamne)

Meinst Du noch,
Mein Argwohn habe keinen Grund?

Mariamne

Ich weiß nicht,
Doch jetzt steckt er mich an.   Dieß find' ich seltsam!
Obgleich — Wenn aus der Wand ein Wurfspieß führe,
Es käme mir nicht unerwarteter!

Alexandra

1230 Zwei Stöße, und der Weg zum Thron ist frei;
Denn, giebt es keine Maccabäer mehr,
So kommen die Herodianer d'ran.

Mariamne

Ich würde Dich noch jetzt verlachen, wäre
Nicht Salome sein Weib! — Bei meinem Bruder.
1235 Ihr Kopf ist mein!   Ich spreche zu Herodes:
Wie Du mich rächst an ihr, so liebst Du mich!
Denn sie, nur sie ist's!   Der da nimmermehr!

Alexandra

u triumphirst zu früh! Erst gilt's zu handeln,
nd diesen Aufstand, dächt' ich, nutzten wir!

Mariamne

Mit diesem Aufstand hab' ich Nichts zu schaffen,   1240
enn wenn Herodes wiederkehrt, so bleibt
Mir Nichts zu fürchten, und wenn nicht, so kommt
er Tod in jeglicher Gestalt mir recht!

Alexandra

ch geh'! (will ab)

Joseph
(vertritt ihr den Weg)

Wohin?

Alexandra
Für's Erste auf die Zinne
Und dann, wohin es mir gefallen wird!   1245

Joseph
zur Zinne steht der Weg Dir frei!   Die Burg
ist abgesperrt!

Alexandra
So wären wir Gefang'ne?

Joseph
So lange, bis die Ruhe hergestellt ist,
Muß ich Dich bitten —

Alexandra
Was erkühnst Du Dich?

Joseph
Ein Stein ist blind, ein röm'scher Wurfspieß auch,   1250
Sie treffen Beide oft, was sie nicht sollen,
D'rum muß man ihnen aus dem Wege geh'n!

Alexandra
(zu Mariamne)

Ich steig' hinauf und suche meinen Freunden
Durch Zeichen kund zu thun, wie's mit uns steht.

Mariamne

1255 Durch Zeichen — Deinen Freunden — Mutt
Mutt
So bist Du's wirklich selbst und nicht das Volk?
Wenn Du Dir selbst nur nicht die Grube gräbst!

Alexandra
(will gehen)

Joseph

Du wirst gestatten, daß Dich mein Trabant
Begleitet. Philo!

Alexandra
Also off'ner Krieg?

Philo
(tritt ein)

Joseph
(redet mit ihm, Anfangs leise, dann laut)

1260 Du hast verstanden?

Philo
Ja!

Joseph
Im schlimmsten Fall!

Philo

Den wart' ich ab, dann —

Joseph
Und mir bürgt Dein Kopf!
(für sich)

Mir däucht, Herodes' Geist ist über mir!

Alexandra
(für sich)

Ich gehe doch! Vielleicht ist der Soldat,
Obgleich ein Galiläer, zu gewinnen!
1265 Versuchen will ich es! (ab)

Philo
(folgt ihr)

Joseph
(für sich)

Ich kann nicht anders,
Wie sehr es mich verdächt'gen mag, der Aufruhr
Zwingt mich zu diesem Schritt, ich darf sie jetzt
Nicht aus den Augen lassen, wenn ich mir
Die That nicht selbst unmöglich machen will,
Denn jede Stunde kann sein Bote kommen!   1270
Ihn selbst erwarte ich schon längst nicht mehr.

Mariamne
Wann starb Herodes?

Joseph
Wann er starb?

Mariamne
                                    Und wie?
Du mußt es wissen, da Du so viel wagst!

Joseph
Was wag' ich denn?   Du giebst mir Räthsel auf!

Mariamne
Nichts, wenn Du glaubst, ich finde keinen Schutz,   1275
Sobald die Römer hören, daß mein Leben
Bedroht ist, Alles, wenn Du darin irrst.

Joseph
Und wer bedroht Dein Leben?

Mariamne
                                    Fragst Du noch?
Du!

Joseph
    Ich?

Mariamne
        Kannst Du das Gegentheil mir schwören?
Kannst Du's bei Deines Kindes Haupt? — Du schweigst! 1280

Joseph

Du haſt mir keine Schwüre abzufodern.

Mariamne

Wer ſo verklagt wird, leiſtet ſie von ſelbſt.
Doch weh' Dir, wenn Herodes wiederkehrt!
Ich ſag' ihm Zweierlei vor'm erſten Kuß,
1285 Ich ſag' ihm, daß Du ſannſt auf meinen Mord,
Ich ſag' ihm, was ich ſchwur: ermiß nun ſelbſt,
Welch Schickſal Dich erwartet, wenn er kommt!

Joseph

Und was—was ſchwurſt Du? Wenn's mich ſchrecken ſo
So muß ich's wiſſen.

Mariamne

                    Hör's zu Deinem Fluch!
1290 Daß ich mit eig'ner Hand mich tödten will,
Wenn er — O, hätt' ich das geahnt! Nicht wahr? –
Dann hätte ich an einen kalten Gruß
Mich nie gekehrt, ich hätte fortgefahren,
Wie ich begann, und Alles ſtünde wohl!
1295 Denn Anfangs warſt Du ein ganz and'rer Mann!

Joseph

Ich habe Nichts zu fürchten.

Mariamne

                        Weil Du meinſt,
Es ſei unmöglich, daß er wiederkehrt!
Wer weiß! Und wenn! Ich halte meinen Schwur
Doch eher nicht, bis ich an Dir mich rächte,
1300 Bis ich an Dir, erzitt're, ſo mich rächte,
Wie er mich rächen würde! Zieh doch jetzt
Sogleich Dein Schwert! Du wagſt es nicht? J
                                    glaub'
Und wie Du mich auch hüten magſt, ich finde
Zum Hauptmann Titus ſicher einen Weg!
1305 Verloren iſt Dein Spiel, ſeit ich's durchſchaut.

Joseph
(für sich)

Wahr, wahr! (zu Mariamne) Ich halte Dich beim Wort!
Du rächst

Dich so, ganz so, wie er Dich rächen würde!
Das hast Du mir gelobt! Vergiß es nicht!

Mariamne

So spricht der Wahnwitz! Daß Herodes mich
Mehr liebt, wie ich mich selber lieben kann,   1310
Wird Keiner, wird nicht einmal Salome,
Dein tück'sches Weib, bezweifeln, wenn sie mich
Auch eben darum doppelt hassen, wenn sie
Auch eben darum Dir den Mordgedanken
Rachsüchtig eingegeben haben mag!   1315
Daß er von ihr kommt, weiß ich, und ich will
Sie treffen, daß sie's fühlt, ihr Schmerz um Dich
Soll meine letzte Lust auf Erden sein!

Joseph

Du irrst Dich! Doch gleichviel! Ich hab' Dein Wort!

Mariamne

Du wiederholst es noch einmal? Verruchter,   1320
Welch einen Aufruhr nächtlicher Gedanken
Weckst Du mir in der Brust und welchen Argwohn!
Du sprichst, als ob Herodes selber mich
Zum Opferthier und Dich zum Opferpriester
Erkoren hätte. Ist es so? Bei'm Abschied   1325
Entfiel ihm, mit Entsetzen denk' ich d'ran,
Ein dunkles Wort. Gieb Antwort!

Joseph

Diese geb' ich,
Sobald es nöthig ist, sobald ich weiß,
Daß er —

Mariamne

Dich nicht mehr Lügen strafen kann,
Wenn Du ihn feig und schlecht des Schrecklichsten,   1330
Des Maßlos-Ungeheuersten verklagtest,

Bloß um Dich selbst vor mir zu reinigen?
Ich sage Dir, ich höre Dich nur jetzt,
Wo er vielleicht, eh' Du noch endigtest,
1335 Schon in die Thür tritt und Dich niederstößt!
Schweig denn auf ewig, oder sprich sogleich!

Joseph

Und wenn es wär'? Ich sag' nicht, daß es ist!
Doch wenn es wär'? Was würd' es anders sein,
Als die Bestät'gung dessen, was Du fühlst,
1340 Als ein Beweis, daß er Dich liebt, wie nie
Ein Mann sein Weib noch liebte?

Mariamne

              Was ist das?
Mir däucht, schon einmal hab' ich das gehört!

Joseph

Ich dächte doch, es könnte Dir nur schmeicheln,
Wenn ihm der Tod nicht halb so bitter wär',
1345 Als der Gedanke, Dich —

Mariamne

            Was gilt die Wette,
Ich selber bring' es jetzt für Dich zu Ende!
Als der Gedanke, mich zurückzulassen
In einer Welt, wo ein Antonius lebt!

Joseph

Nun ja! Ich sag' nicht, daß er das gesagt —

Mariamne

1350 Er hat's gesagt! Er hat — Was hat er nicht!
O, daß er endlich käme!

Joseph

              Mariamne! —
(für sich)
Wie hab' ich mich verstrickt! Zwar that ich Nichts,
Als was ich mußte! Doch mich packt ein Grauen,
Daß er — ich seh' den Aristobolus.

Verflucht die That, die einen Schatten wirft,   1355
Eh' sie in's Leben tritt!

Mariamne
                        So war das mehr,
Als eine tolle Blase des Gehirns,
Wie sie zuweilen aufsteigt und zerplatzt,
So war's — Von jetzt erst fängt mein Leben an,
Bis heute träumt' ich!   1360

Sechste Scene
Ein Diener tritt ein; ihm folgt Salome

Salome
(zum Diener)
                Ward's Dir untersagt,
Hier ungemeldet Jemand einzulassen?
Ich nehm's auf mich!

Joseph
                Du, Salome?

Salome
                                Wer sonst?
Kein böser Geist!   Dein Weib!   Dein armes Weib,
Um das Du warbst, wie Jacob warb um Rahel,
Und das Du nun —(zu Mariamne) Verfluchte, war es Dir 1365
Noch nicht genug, daß Du das Herz des Bruders
Mir abgewendet hast?   Mußt Du mir jetzt
Auch den Gemahl noch rauben?   Tag und Nacht
Denkt er an Dich, als wärest Du schon Wittwe,
Und ich noch weniger, als das!   Bei Tage   1370
Folgt er auf Schritt und Tritt Dir nach!   Bei Nacht
Träumt er von Dir, nennt ängstlich Deinen Namen,
Fährt aus dem Schlummer auf — (zu Joseph) Hielt
                                ich's Dir nicht
Noch diesen Morgen vor?   Und heut' sogar,
Wo ganz Jerusalem in Aufruhr ist,   1375
Heut' ist er nicht bei mir, nicht auf dem Markt,
Wo ich, weil er nicht kam, ihn suchen ließ,
Er ist bei Dir, und Ihr — Ihr seid allein!

H.U.M.—4

Mariamne

Die ist es sicher nicht.　So ist er's selbst!
1380 Wenn noch ein Zweifel übrig blieb, so hat
Die blöde Eifersucht ihn jetzt erstickt! —
Ich war ihm nur ein Ding und weiter Nichts.

Joseph
(zu Salome)

Ich schwör' Dir —

Salome

Daß ich blind bin?　Nein!　Ich sehe!

Mariamne

Der Sterbende, der seinen Feigenbaum
1385 Abhauen ließe, weil er seine Früchte
Nach seinem Tode keinem Andern gönnte,
Der Sterbende wär' ruchlos, und er hätte
Den Baum vielleicht doch selbst gepflanzt und wüßte
Daß er den Dieb, daß er sogar den Mörder
1390 Erquicken müßte, der ihn schüttelte.
Bei mir fällt Beides weg!　Und doch!　Und doch!
Das ist ein Frevel, wie's noch keinen gab.

Salome
(zu Joseph)

Du sprichst umsonst!　Ein Auftrag!　Welch ein Auftrag?

Mariamne

Ein Auftrag!　Dieß das Siegel! — Wär' es möglich,
1395 Jetzt müßt' es doch am ersten möglich sein!
Allein es ist nicht möglich!　Keine Regung
Unedler Art befleckt mein Innerstes,
Wie es auch stürmt in meiner Brust!　Ich würde
Antonius in diesem Augenblick
1400 Dieselbe Antwort geben, die ich ihm
An uns'rem Hochzeitstag gegeben hätte,
Das fühl' ich, darum trifft's mich, wie's mich trifft,
Sonst müßte ich's ertragen, ja verzeih'n!

Salome
(zu Mariamne)

Ich bin für Dich nicht da, wie's scheint?

Mariamne
Doch! Doch!
Du haft sogar die größte Wohlthat mir   1405
Erzeigt, ich, die ich blind war, sehe jetzt,
Ich sehe hell und das allein durch Dich!

Salome

Verhöhnst Du mich? Auch das sollst Du mir büßen,
Wenn nur mein Bruder wiederkehrt! Ich werde
Ihm Alles sagen —   1410

Mariamne
Was? Ja so! Das thu!
Und hört er d'rauf — — Warum denn nicht? Was
lach' ich?
Ist das denn noch unmöglich? — — Hört er d'rauf,
So nimm mein Wort: ich widersprech' Dir nicht!
Ich liebe mich nicht mehr genug dazu!

Siebente Scene
Alexandra
(stürzt herein)

Der König!   1415

Joseph
In der Stadt?

Alexandra
Schon in der Burg!

Effective mut.

Dritter Act

Burg Zion.   Alexandras Gemächer

Erste Scene

Alexandra. Joseph. Salome. Herodes (tritt ein).
Sein Gefolge. Soemus

Herodes

Da wär' ich wieder! (zu Soemus) Blutet's noch? Der
Stein

Hat mir gegolten, und er traf Dich nur,
Weil Du gerade kamst, mir was zu sagen,
Dein Kopf war diesmal Deines Königs Schild!
1420 Wär'st Du geblieben, wo Du warst —

Soemus

So hätt' ich
Die Wunde nicht, doch auch nicht das Verdienst,
Wenn es ein solches ist.   In Galliläa
Wird höchstens der gesteinigt, der es wagt,
Sich Dir und mir, der ich Dein Schatten bin,
1425 Dein Sprachrohr, oder, was Du immer willst,
Zu widersetzen.

Herodes

Ja, da sind sie treu!
Dem eig'nen Vortheil nämlich, und weil dieser
Mit meinem Hand in Hand geht, meinem auch.

Soemus

Wie sehr, das siehst Du daran, daß Du mich
1430 In Deiner Hauptstadt findest.

Herodes

In der That,
Dich hier zu treffen, hätt' ich nicht erwartet;
Denn, wenn der König fern ist, thun die Wächter
Den störrigen Provinzen doppelt Noth!
Was trieb Dich denn von Deinem Posten fort?

Doch ganz gewiß was And'res, als der Wunsch,   1435
Mir zu beweisen, daß er ungefährdet
Verlassen werden könne, und die Ahnung,
Daß hier ein Steinwurf aufzufangen sei!

Soemus

Ich kam herüber, um dem Vicekönig
Entdeckungen von wunderbarer Art
In schuld'ger Eile mündlich mitzutheilen.   1440
Ich wollt' ihm melden, daß die Pharisäer
Sogar den starren Boden Galliläas,
Wenn auch umsonst, zu unterhöhlen suchen,
Doch meine Warnung kam zu spät, ich fand   1445
Jerusalem in Flammen vor und konnte
Nur löschen helfen!

Herodes

(reicht ihm die Hand)

Und das thatest Du
Mit Deinem Blut! — Sieh, Joseph, guten Tag!
Dich hätt' ich anderswo gesucht! — Schon gut!
Jetzt aber geh und schaff' den Sameas,   1450
Den Pharisäer, den der Hauptmann Titus
Auf Scythen=Art gefangen hält, hieher.
Der starre Römer schleppt ihn, an den Schweif
Des Rosses, das er reitet, festgebunden,
Mit sich herum, weil er im heil'gen Eifer   1455
Auf off'nem Markt nach ihm gespieen hat.
Nun muß er rennen, wie er niemals noch
Gerannt sein mag, wenn er nicht fallen und
Geschleift sein will.   Ich hätte ihn sogleich,
Wie ich vorüberkam, erlösen sollen!   1460
Verdanke ich's doch sicher ihm allein,
Daß ich jetzt alle Schlangen, die bisher
Sich still vor mir verkrochen, kennen lernte!
Nun kann ich sie zertreten, wann ich will!

(Joseph ab)

Herodes

(zu Alexandra)

1465 Ich grüße Dich! Und vom Antonius
Soll ich Dir melden, daß man einen Fluß
Nicht vor Gericht zieh'n kann, und einen König,
In dessen Land er fließt, noch weniger,
Weil er ihn nicht verschütten ließ! (zu Soemus) Ich wär'
1470 Längst wieder hier gewesen, doch wenn Freunde
Zusammen kommen, die sich selten seh'n,
So halten sie sich fest! Das wird auch Dir,
Ich sag' es Dir voraus, bei mir gescheh'n,
Nun ich Dich endlich einmal wieder habe.

1475 Du wirst mit mir die Feigen schütteln müssen,
So wie ich dem Antonius die Muränen,
Pfui, Schlemmerei! in Strömen von Falerner
Ersticken helfen und für manchen Schwank
Aus uns'rer frühern Zeit ihm das Gedächtniß
1480 Auffrischen mußte! Mach' Dich nur gefaßt,
Mir gleichen Dienst zu leisten. Hab' ich auch
Vom Triumphator nicht genug in mir,
Daß ich Dich so zu mir entboten hätte,
Wie er mich selbst zu sich entbot, zum Schein
1485 Auf eine abgeschmackte Klage hörend,
Die Stirn, wie Cäsar, runzelnd und den Arm
Mit Blitz und Donnerkeil zugleich bewaffnend,
Bloß um gewiß zu sein — dieß war der Grund,
Warum er's that — daß ich auch wirklich käme,
1490 So mach' ich mir den Zufall, der Dich heute
Mir in die Hände liefert, doch zu nutz,
Und sprech', wie er, wenn Du von Deinem Amt
Zu reden anfängst: Führst Du's, wie Du sollst,
So braucht es Dich nicht jeden Augenblick!
1495 Du kommst so selten, daß es scheint, als wärst
Du hier nicht gern!

Soemus

Du thust mir Unrecht, Herr,
Doch hab' ich Ursach', nicht zu oft zu kommen!

Herodes

(zu Salome)

Auch Du bist hier? — So lerntest Du es endlich
Dir einzubilden, wenn Du Mariamnen
Begegnest, daß Du in den Spiegel siehst   1500
Und Deinen eignen Widerschein erblickst?
Oft rieth ich's Dir, wenn Du ihr grolltest, niemals
Gefiel der Rath Dir! Nimm den Scherz nicht krumm!
Man kann nichts Uebles in der Stunde thun,
Wo man sich wiedersieht! Doch, wo ist sie?   1505
Man sagte mir, sie sei bei ihrer Mutter,
D'rum kam ich her!

Salome

Sie ging, als sie vernahm,
Daß Du Dich nähertest!

Herodes

Sie ging? Unmöglich!
Doch wohl! Sie that es, weil die Einsamkeit
Dem Wiedersehen ziemt! — (für sich) Willst Du ihr 1510
                           zürnen,
Statt abzubitten, Herz? — Ich folge ihr,
Denn ihr Gefühl hat Recht!

Salome

Belüg' Dich nur,
Und leg' den Schreck, Dich aufersteh'n zu seh'n,
Die Schaam, an Deinen Tod geglaubt zu haben,
Die größere, kaum Wittwe mehr zu sein,   1515
Leg' ihr das Alles aus, als wär's die Scheu
Des Mägdleins, das noch keinen Mann erkannt,
Nicht die Verwirrung einer Sünderin!
Sie ging aus Furcht!

Herodes

Aus Furcht? — Sieh um Dich her,
Wir sind hier nicht allein!   1520

Salome

Das ist mir recht,

Bring' ich vor Zeugen meine Klage an,
So wird sie um so sicherer gehört,
Und um so schwerer unterdrückt!

Herodes

Du stellst

Dich zwischen mich und sie? Nimm Dich in Acht,
1525 Du kannst zertreten werden!

Salome

Dies Mal nicht,

Obgleich ich weiß, was Dir die Schwester gilt,
Wenn's um die Maccabäerin sich handelt,
Dies Mal —

Herodes

Ich sag' Dir Eins! Wär' an dem Tag,

An dem ich sie zum ersten Mal erblickte,
1530 Ein Kläger aufgestanden wider sie,
Er hätt' nicht leicht Gehör bei mir gefunden,
Doch leichter noch, wie heut'! Das warne Dich!
Ich bin ihr so viel schuldig, daß sie mir
Nichts schuldig werden kann, und fühl' es tief!

Salome

1535 So hat sie einen Freibrief?

Herodes

Jede Larve

Zu tragen, die ihr gut scheint, Dich zu täuschen,
Wenn sie sich Kurzweil mit Dir machen will!

Salome

Dann — Ja, dann muß ich schweigen! Wozu spräch'
ich!

Denn, was ich Dir auch sagen mögte, immer
1540 Wär' Deine Antwort fertig: Mummerei!
Nun diese Mummerei ist gut geglückt,

Sie hat nicht mich allein, sie hat die Welt
Mit mir berückt und kostet Dir die Ehre,
Wie mir die Ruh', ob Du auch schwören magst,
Daß Joseph nur gethan, was er gesollt,   1545
Wenn er — Sieh zu, ob es ein Mensch Dir glaubt!

Herodes

Wenn er — Was unterdrückst Du? Endige!
Doch nein — — Noch nicht!
(zu einem Diener)

                              Ich lass' die Königin
Ersuchen zu erscheinen! — Ist es nicht,
Als wär' die ganze Welt von Spinnen rein,   1550
Und alle nisteten in meinem Hause,
Um, wenn einmal für mich der blaue Himmel
Zu sehen ist, ihn gleich mir zu verhängen
Und Wolken=Dienst zu thun? Zwar — seltsam ist's,
Daß sie nicht kommt! Sie hätt' mich küssen müssen, 1555
Der Allgewalt des Augenblicks erliegend,
Und dann die Lippen sich zerbeißen mögen,
Wenn das Gespenst denn noch nicht von ihr wich!
(zu Salome)

Weißt Du, was Du gewagt hast? Weißt Du's, Weib?
Ich freute mich! Verstehst Du das? Und nun — — 1560
Die Erde hat mir einmal einen Becher
Mit Wein verschüttet, als ich durstig war,
Weil sie zu zucken anfing, eh' ich ihn
Noch leerte, ihr verzieh ich, weil ich mußte,
An Dir könnt' ich mich rächen!   1565

Zweite Scene
Mariamne tritt auf

Herodes

                              Wirf Dich nieder
Vor ihr, die Du vor so viel Zeugen kränktest,
Dann thu' ich's nicht!

Salome
Ha!

H.U.M.—4*

Alexandra

Was bedeutet das?

Herodes

Nun, Mariamne?

Mariamne

Was befiehlt der König?
Ich bin entboten worden und erschien!

Alexandra

1570 Ist dieß das Weib, das schwur, sich selbst zu tödten,
Wenn er nicht wiederkehrte?

Herodes

Dieß Dein Gruß?

Mariamne

Der König ließ mich rufen, ihn zu grüßen?
Ich grüße ihn! Da ist das Werk vollbracht!

Alexandra

Du irrst Dich sehr! Du stehst hier vor Gericht!

Herodes

1575 Man wollte Dich verklagen! Eh' ich noch
Die Klage angehört, ließ ich Dich bitten,
Hieherzukommen, aber wahrlich nicht,
Daß du Dich gegen sie vertheidigtest,
Nur, weil ich glaube, daß sie in sich selbst
1580 Ersticken wird vor Deiner Gegenwart!

Mariamne

Um das zu hindern, sollt' ich wieder geh'n!

Herodes

Wie, Mariamne? Nie gehörtest Du
Zu jenen Seelen jammervoller Art,
Die, wie sie eben Antlitz oder Rücken

Des Feindes seh'n, verzeih'n und wieder grollen,   1585
Weil sie zu schwach für einen echten Haß
Und auch zu klein für volle Großmuth sind.
Was hat Dich denn im Tiefsten so verwandelt,
Daß Du Dich ihnen jetzt noch zugesellst?
Du hast doch, als ich schied, ein Lebewohl   1590
Für mich gehabt; dieß, däucht mir, gab mir Anspruch
Auf Dein Willkommen, und Du weigerst das?
Du stehst so da, als lägen Berg und Thal
Noch zwischen uns, die uns so lange trennten?
Du trittst zurück, wenn ich mich nähern will?   1595
So ist Dir meine Wiederkunft verhaßt?

Mariamne

Wie sollte sie?   Sie giebt mir ja das Leben
Zurück!

Herodes

Das Leben?   Welch ein Wort ist dieß!

Mariamne

Du wirst nicht läugnen, daß Du mich verstehst!

Herodes
(für sich)

Kann sie's denn wissen? (zu Mariamne) Komm!   1600
(da Mariamne nicht folgt)

Laßt uns allein!

(zu Alexandra)

Du wirst verzeih'n!

Alexandra

Gewiß!
(ab.   Alle Andern folgen ihr)

Mariamne

So feig!

Herodes

So feig?

Mariamne

Und auch — Wie nenn' ich's nur?

Herodes

Und auch? — (für sich) Das wär'
Entsetzlich! Nimmer löscht' ich's in ihr aus!

Mariamne

Ob ihm sein Weib in's Grab freiwillig folgt,
1605 Ob sie des Henkers Hand hinunter stößt —
Ihm gleich, wenn sie nur wirklich stirbt! Er läßt
Zum Opfertod ihr nicht einmal die Zeit!

Herodes

Sie weiß es!

Mariamne

Ist Antonius denn ein Mensch,
Wie ich bisher geglaubt, ein Mensch, wie Du,
1610 Oder ein Dämon, wie Du glauben mußt,
Da Du verzweifelst, ob in meinem Busen
Noch ein Gefühl von Pflicht, ein Rest von Stolz
Ihm widerstehen würde, wenn er triefend
Von Deinem Blut als Freier vor mich träte
1615 Und mich bestürmte, ihm die Zeit zu kürzen,
Die die Aegypterin ihm übrig läßt?

Herodes

Doch wie? Doch wie?

Mariamne

Er müßte Dich ja doch
Getödtet haben, eh' er werben könnte,
Und wenn Du selbst Dich denn — ich hätt' es nie
1620 Gedacht, allein ich seh's! — so nichtig fühlst,
Daß Du verzagst, in Deines Weibes Herzen
Durch Deines Männer=Werthes Vollgehalt
Ihn aufzuwägen, was berechtigt Dich,
Mich so gering zu achten, daß Du fürchtest,
1625 Ich wiese selbst den Mörder nicht zurück?
O Doppelschmach!

Herodes
(ausbrechend)
Um welchen Preis erfuhrst
u dies Geheimniß? Wohlfeil war es nicht!
ir stand ein Kopf zum Pfand!

Mariamne
O Salome,
u kanntest Deinen Bruder! — Frage den,
er mir's verrieth, was er empfangen hat,   1630
on mir erwarte keine Antwort mehr! (wendet sich)

Herodes
ch zeig' Dir gleich, wie ich ihn fragen will!
oemus!

Dritte Scene
Soemus tritt ein

Herodes
Ist mein Schwäher Joseph draußen?

Soemus
r harrt mit Sameas.

Herodes
Führ' ihn hinweg!
ch gab ihm einen Brief! Er soll den Brief   1635
lsbald bestellen! Du begleitest ihn
nd sorgst, daß Alles treu vollzogen wird,
as dieser Brief befiehlt!

Soemus
Es soll gescheh'n! (ab)

Herodes
as Du auch ahnen, denken, wissen magst,
u hast mich doch mißkannt!   1640

Mariamne

Dem Brudermord

Haſt Du das Siegel der Nothwendigkeit,
Dem man ſich beugen muß, wie man auch ſchaudert,
Zwar aufgedrückt, doch es gelingt Dir nie,
Mit dieſem Siegel auch den Mord an mir
1645 Zu ſtempeln, der wird bleiben, was er iſt,
Ein Frevel, den man höchſtens wiederholen,
Doch nun und nimmer überbieten kann!

Herodes

Ich würde nicht den Muth zur Antwort haben,
Wenn ich, was ich auch immer wagen mogte,
1650 Des Ausgangs nicht gewiß geweſen wäre,
Das war ich aber, und ich war es nur,
Weil ich mein Alles auf das Spiel geſetzt!
Ich that, was auf dem Schlachtfeld der Soldat
Wohl thut, wenn es ein Allerletztes gilt,
1655 Er ſchleudert die Standarte, die ihn führt,
An der ſein Glück und ſeine Ehre hängt,
Entſchloſſen von ſich in's Gewühl der Feinde,
Doch nicht, weil er ſie preis zu geben denkt:
Er ſtürzt ſich nach, er holt ſie ſich zurück,
1660 Und bringt den Kranz, der ſchon nicht mehr dem Muth
Nur der Verzweiflung noch erreichbar war,
Den Kranz des Siegs, wenn auch zerriſſen, mit.
Du haſt mich feig genannt. Wenn der es iſt,
Der einen Dämon in ſich ſelber fürchtet,
1665 So bin ich es zuweilen, aber nur,
Wenn ich mein Ziel auf krummem Weg erreichen,
Wenn ich mich ducken und mich ſtellen ſoll,
Als ob ich der nicht wäre, der ich bin.
Dann ängſtigt's mich, ich mögte mich zu früh
1670 Aufrichten, und um meinen Stolz zu zähmen,
Der, leicht empört, mich dazu ſpornen könnte,
Knüpf' ich an mich, was mehr iſt, als ich ſelbſt,
Und mit mir ſtehen oder fallen muß.
Weißt Du, was meiner harrte, als ich ging?

ein Zweikampf und noch minder ein Gericht, 1675
in launischer Tyrann, vor dem ich mich
erläugnen sollte, aber sicher nicht
erläugnet hätte, wenn — Ich dachte Dein,
un knirsch' ich nicht einmal — und was er auch
em Mann und König in mir bieten mogte, 1680
on Schmaus zu Schmaus mich schleppend und den
Freispruch
Mir doch, unheimlich schweigend, vorenthaltend,
eduldig, wie ein Sclave, nahm ich's hin!

Mariamne

u sprichst umsonst! Du hast in mir die Menschheit
eschändet, meinen Schmerz muß Jeder theilen, 1685
er Mensch ist, wie ich selbst, er braucht mir nicht
erwandt, er braucht nicht Weib zu sein, wie ich.
ls Du durch heimlich=stillen Mord den Bruder
Mir raubtest, konnten die nur mit mir weinen,
ie Brüder haben, alle Andern mogten 1690
och trock'nen Auges auf die Seite treten
nd mir ihr Mitleid weigern. Doch ein Leben
at Jedermann und Keiner will das Leben
ich nehmen lassen, als von Gott allein,
er es gegeben hat! Solch einen Frevel 1695
erdammt das ganze menschliche Geschlecht,
erdammt das Schicksal, das ihn zwar beginnen,
och nicht gelingen ließ, verdammst Du selbst!
nd wenn der Mensch in mir so tief durch Dich
ekränkt ist, sprich, was soll das Weib empfinden, 1700
Wie steh' ich jetzt zu Dir und Du zu mir?

Vierte Scene

Salome
(stürzt herein)

ntsetzlicher, was sinnst Du? Meinen Gatten
Seh' ich von hinnen führen — er beschwört mich
Dich um Erbarmung anzufleh'n — ich zaud're,

1705 Weil ich ihm grolle und ihn nicht verstehe —
Und nun — nun hör' ich grause Dinge flüstern —
Man spricht — Man lügt, nicht wahr?

Herodes

Dein Gatte stirbt

Salome

Eh' er gerichtet wurde? Nimmermehr!

Herodes

Er ist gerichtet durch sich selbst! Er hatte
1710 Den Brief, der ihn zum Tod verdammt, in Händen,
Eh' er sich gegen mich verging, er wußte,
Welch eine Strafe ihn erwartete,
Wenn er es that; er unterwarf sich ihr
Und that es doch!

Salome

Herodes, höre mich!
1715 Weißt Du das denn gewiß? Ich habe ihn
Verklagt, ich glaubte es mit Recht zu thun,
Ich hatte Grund dazu — Daß er sie liebte,
War offenbar, er hatte ja für mich
Nicht einen Blick mehr, keinen Händedruck —
1720 Er war bei Tage um sie, wann er konnte,
Und Nachts verriethen seine Träume mir,
Wie sehr sie ihn beschäftigte — Das Alles
Ist wahr, und mehr — — Doch folgt aus diesem Allen
Noch nicht, daß sie ihn wieder lieben mußte,
1725 Noch weniger, daß sie — O nein! o nein!
Mich riß die Eifersucht dahin — vergieb!
Vergieb auch Du. (zu Mariamne) Ich habe Dich gehaßt
O Gott, die Zeit vergeht! Man sprach — Soll ich
Dich lieben, wie ich Dich gehaßt? Dann sei
1730 Nicht länger stumm, sprich, daß er schuldlos ist
Und bitt' für ihn um Gnade, wie ich selbst!

Mariamne

Er ist's!

Herodes
In ihrem Sinn — in meinem nicht!

Mariamne
In Deinem auch!

Herodes
Dann müßtest Du Nichts wissen!
Jetzt kann ihn Nichts entschuldigen!   Und wenn ich
Den Tod ihm geben lasse, ohne ihn   1735
Vorher zu hören, so geschieht's zwar mit,
Weil ich Dir zeigen will, daß ich von Dir
Nicht niedrig denke und das rasche Wort,
Das mir im ersten Zorn entfiel, bereue,
Doch mehr noch, weil ich weiß, daß er mir Nichts   1740
Zu sagen haben kann!

Fünfte Scene
Soemus
Das blut'ge Werk
Ist abgethan!   Doch ganz Jerusalem
Steht starr und fragt, warum der Mann, den Du
Zu Deinem Stellvertreter machtest, als Du
Von hinnen zogst, bei Deiner Wiederkehr   1745
Den Kopf verlieren mußte!

Salome
(taumelt)
Wehe mir!

Mariamne
(will sie auffangen)

Salome
Fort!   Fort!   (zu Herodes)   Und Die?

Herodes
Gieb Dich zufrieden, Schwester!
Dein Gatte hat mich fürchterlich betrogen —

Salome
Und Die?

Herodes
Nicht so, wie Du es meinst —

Salome
Nicht so?
1750 Wie denn? Sie willst Du retten? Wenn mein Gat
Dich fürchterlich betrog, so that sie's auch,
Denn wahr ist, was ich sagte, und ein Jeder
Soll's wissen, der es noch nicht weiß! Du sollst
In ihrem Blut Dich waschen, wie in seinem,
1755 Sonst wirst Du niemals wieder rein! Nicht so!

Herodes
Bei Allem, was mir heilig ist —

Salome
So nenne
Mir sein Verbrechen, wenn es das nicht war!

Herodes
Wollt' ich es nennen, würde ich's vergrößern!
Ich hatt' ihm ein Geheimniß anvertraut,
1760 An dem mein Alles hing, und dies Geheimniß
Hat er verrathen, soll auch ich das thun?

Salome
Elende Ausflucht, die mich schrecken wird!
Meinst Du, daß Du mich täuschen kannst? Du glaub
An Alles, was ich sagte, doch Du bist
1765 Zu schwach, um Deine Liebe zu ersticken,
Und ziehst es vor, die Schande zu verhüllen,
Die Du nicht tilgen magst. Doch wenn Du mich,
Die Schwester, nicht, wie meinen Gatten tödtest,
So wird Dir das mißlingen! (zu Mariamne) Er ist tod
1770 Nun kannst Du schwören, was Du willst, er wird
Nicht widersprechen! (ab)

Herodes

Folg' ihr nach, Soemus,
Und such' sie zu begütigen! Du kennst sie,
Und eh'mals hat sie gern auf Dich gehört!

Soemus

Die Zeiten sind vorüber! Doch, ich geh'! (ab)

Mariamne
(für sich)

Für den, der mich ermorden wollte, hätt' ich   1775
Wohl nicht gebeten! Dennoch schaud're ich,
Daß mir nicht einmal Zeit blieb, es zu thun!

Herodes
(für sich)

Er mußte doch daran! Im nächsten Krieg
Hätt' er den Platz des Urias bekommen!
Und dennoch reut mich diese Eile jetzt!   1780

Sechste Scene

Ein Bote
(tritt auf)

Mich schickt Antonius!

Herodes

So weiß ich auch,
Was Du mir bringst. Ich soll mich fertig machen,
Der große Kampf, von dem er sprach, beginnt!

Bote

Octavianus hat nach Afrika
Sich eingeschifft, ihm eilt Antonius   1785
Entgegen, mit Cleopatra vereint,
Im gleich bei Actium ihn zu empfangen —

Herodes

Und ich, Herodes, soll der Dritte sein!
Schon gut! Ich zieh' noch heut'! Soemus kann,
1790 So schlecht es hier auch steh'n mag, mich ersetzen.
Gut, daß er kam!

Mariamne

     Er zieht noch einmal fort!
Dank, Ew'ger, Dank!

Herodes
(sie beobachtend)
Ha!

Bote

     Großer König, nein!
Er braucht Dich nicht bei Actium, er will,
Daß Du die Araber, die sich empörten,
1795 Verhindern sollst, dem Feind sich anzuschließen!
Das ist der Dienst, den er von Dir verlangt.

Herodes

Er hat den Platz, wo ich ihm nützen kann,
Mir anzuweisen!

Mariamne
    Noch einmal! Das lös't
Ja Alles wieder!

Herodes
(wie vorher)
    Wie mein Weib sich freut!
(zum Boten)
1800 Sag' ihm — Du weißt's ja schon! —
(für sich)
      Die Stirn entrunzelt,
Die Hände, wie zum Dankgebet, gefaltet —
Das ist ihr Herz!

Bote
Sonst hast du Nichts für mich?

Handwritten note in top right margin: Herodes has 2nd chance

Mariamne

Jetzt werd' ich's seh'n, ob's bloß ein Fieber war,
Das Fieber der gereizten Leidenschaft,
Das ihn verwirrte, oder ob sich mir   1805
In klarer That sein Innerstes verrieth!
Jetzt werd' ich's seh'n!

Herodes
(zum Boten)

Nichts! Nichts!

Bote
(ab)

Herodes
(zu Mariamne)

Dein Angesicht
Hat sich erheitert! Aber hoffe nicht
Zu viel! Man stirbt nicht stets in einem Krieg,
Aus manchem kehr' ich schon zurück!   1810

Mariamne
(will reden, unterbricht sich aber)

Nein! Nein!

Herodes

Zwar gilt es dies Mal einen hitz'gern Kampf,
Wie jemals, alle andern Kämpfe wurden
Um Etwas in der Welt geführt, doch dieser
Wird um die Welt geführt, er soll entscheiden,
Wer Herr der Welt ist, ob Antonius,   1815
Der Wüst= und Lüstling, oder ob Octav,
Der sein Verdienst erschöpft, sobald er schwört,
Daß er noch nie im Leben trunken war,
Da wird es Streiche setzen, aber dennoch
Ist's möglich, daß Dein Wunsch sich nicht erfüllt,   1820
Und daß der Tod an mir vorüber geht!

Mariamne

Mein Wunsch! Doch wohl! Mein Wunsch! So ist
es gut!
Halt an Dich, Herz! Verrath Dich nicht! Die Probe
Ist keine, wenn er ahnt, was Dich bewegt!
1825 Besteht er sie, wie wirst Du selbst belohnt,
Wie kannst Du ihn belohnen! Laß Dich denn
Von ihm verkennen! Prüf' ihn! Denk' an's Ende
Und an den Kranz, den Du ihm reichen darfst,
Wenn er den Dämon überwunden hat!

Herodes

1830 Ich danke Dir! Du hast mir jetzt das Herz
Erleichtert! Mag ich auch an Deiner Menschheit
Gefrevelt haben, das erkenn' ich klar,
An Deiner Liebe frevelte ich nicht!
D'rum bettle ich denn auch bei Deiner Liebe
1835 Nicht um ein letztes Opfer mehr, doch hoff' ich,
Daß Du mir eine letzte Pflicht erfüllst.
Ich hoffe das nicht meinetwegen bloß,
Ich hoff' es Deinetwegen noch viel mehr,
Du wirst nicht wollen, daß ich Dich nur noch
1840 Im Nebel sehen soll, Du wirst dafür,
Daß ich den Mund des Todten selbst verschloß,
Den Deinen öffnen und es mir erklären,
Wie's kam, daß er den Kopf an Dich verschenkte,
Du wirst es Deiner Menschheit wegen thun,
1845 Du wirst es thun, weil Du Dich selber ehrst!

Mariamne

Weil ich mich selber ehre, thu' ich's nicht!

Herodes

So weigerst Du mir selbst, was billig ist?

Mariamne

Was billig ist! So wär' es also billig,
Daß ich, auf Knieen vor Dir niederstürzend,
1850 Dir schwüre: Herr, Dein Knecht kam mir nicht nah'!

Und daß Du's glauben kannst — denn auf Vertrau'n
Hab' ich kein Recht, wenn ich Dein Weib auch bin —
So hör' noch dieß und das! O pfui! pfui!
Herodes, nein! Fragt Deine Neugier einst,
So antwort' ich vielleicht! Jetzt bin ich stumm!   1855

Herodes

Wär' Deine Liebe groß genug gewesen,
Mir alles zu verzeih'n, was ich aus Liebe
Gethan, ich hätt' Dich niemals so gefragt!
Jetzt, da ich weiß, wie klein sie ist, jetzt muß ich
Die Frage wiederholen, denn die Bürgschaft,   1860
Die Deine Liebe mir gewährt, kann doch
Nicht größer sein, wie Deine Liebe selbst,
Und eine Liebe, die das Leben höher
Als den Geliebten schätzt, ist mir ein Nichts!

Mariamne

Und dennoch schweig' ich!   1865

Herodes

                    So verdamm' ich mich,
Den Mund, der mir, zu stolz, nicht schwören will,
Daß ihn kein And'rer küßte, selbst nicht mehr
Zu küssen, bis er es in Demuth thut;
Ja, wenn's ein Mittel gäbe, die Erinn'rung
An Dich in meinem Herzen auszulöschen,   1870
Wenn ich, indem ich beide Augen mir
Durchstäche und die Spiegel Deiner Schönheit
Vertilgte, auch Dein Bild vertilgen könnte,
In dieser Stunde noch durchstäch' ich sie.

Mariamne

Herodes, mäß'ge Dich! Du hast vielleicht   1875
Gerade jetzt Dein Schicksal in den Händen
Und kannst es wenden, wie es Dir gefällt!
Für jeden Menschen kommt der Augenblick,
In dem der Lenker seines Sterns ihm selbst

1880 Die Zügel übergiebt. Nur das ist schlimm,
Daß er den Augenblick nicht kennt, daß jeder
Es sein kann, der vorüber rollt! Mir ahnt,
Für Dich ist's dieser! Darum halte ein!
Wie Du Dir heut' die Bahn des Lebens zeichnest,
1885 Mußt Du vielleicht sie bis an's Ende wandeln:
Willst Du das thun im wilden Rausch des Zorns?

Herodes

Ich fürchte sehr, Du ahnst nur halb das Rechte,
Der Wendepunct ist da, allein für Dich!
Denn ich, was will ich denn? Doch nur ein Mittel,
1890 Womit ich böse Träume scheuchen kann!

Mariamne

Ich will Dich nicht versteh'n! Ich hab' Dir Kinder
Geboren! Denk' an die!

Herodes

              Wer schweigt, wie Du,
Weckt den Verdacht, daß er die Wahrheit nicht
Zu sagen wagt und doch nicht lügen will.

Mariamne

1895 Nicht weiter!

Herodes

              Nein, nicht weiter! Lebe wohl!
Und wenn ich wiederkehre, zürne d'rob
Nicht allzusehr!

Mariamne
Herodes!

Herodes

              Sei gewiß,
Ich werde Dir nicht wieder so, wie heute.
Den Gruß entpressen!

Still loves him.

Mariamne

Nein, es wird nicht wieder
Vonnöthen sein! (gen Himmel) Lenk', Ewiger, sein Herz! 1900
Ich hatt' ihm ja den Brudermord verzieh'n,
Ich war bereit, ihm in den Tod zu folgen,
Ich bin es noch, vermag ein Mensch denn mehr?
Du thatest, was Du nie noch thatst, Du wälztest
Das Rad der Zeit zurück: es steht noch einmal, 1905
Wie es vorher stand; laß ihn anders denn
Jetzt handeln, so vergess' ich, was gescheh'n;
Vergess' es so, als hätte er im Fieber
Mit seinem Schwert mir einen Todesstreich
Versetzt und mich genesend selbst verbunden. 1910
(zu Herodes)
Seh' ich Dich noch?

Herodes

Wenn Du mich kommen siehst,
So ruf' nach Ketten! Das sei Dir Beweis,
Daß ich verrückt geworden bin!

Mariamne

Du wirst
Dies Wort bereu'n! — Halt an Dich, Herz! — Du wirst!
(ab)

Herodes

GONE TOO FAR

Wahr ist's, ich ging zu weit. Das sagte ich 1915
Mir unterwegs schon selbst. Doch wahr nicht minder,
Wenn sie mich liebte, würde sie's verzeih'n!
Wenn sie mich liebte! Hat sie mich geliebt?
Ich glaub' es. Aber jetzt — Wie sich der Todte
Im Grabe noch zu rächen weiß! Ich schaffte 1920
Ihn fort, um meine Krone mir zu sichern,
Er nahm, was mehr wog, mit hinweg: ihr Herz!
Denn seltsam hat sie, seit ihr Bruder starb,
Sich gegen mich verändert, niemals fand
Ich zwischen ihr und ihrer Mutter noch 1925
Die kleinste Spur von Aehnlichkeit heraus,

Heut' glich sie ihr in mehr als einem Zug,
D'rum kann ich ihr nicht mehr vertrau'n, wie sonst!
Das ist gewiß! Doch, muß es darum auch
1930 Sogleich gewiß sein, daß sie mich betrog?
Die Bürgschaft, die in ihrer Liebe lag,
Ist weggefallen, aber eine zweite
Liegt noch in ihrem Stolz, und wird ein Stolz,
Der es verschmäht, sich zu vertheidigen,
1935 Es nicht noch mehr verschmäh'n, sich zu beflecken?
Zwar weiß sie's! Joseph! Warum kann der Mensc
Nur tödten, nicht die Todten wieder wecken,
Er sollte Beides können, oder keins!
Der rächt sich auch! Er kommt nicht! Dennoch seh' i
1940 Ihn vor mir! „Du befiehlst?" — Es ist unmöglich!
Ich will's nicht glauben! Schweig mir, Salome!
Wie es auch kam, so kam es nicht! Vielleicht
Fraß das Geheimniß, wie verschlucktes Feuer,
Von selbst sich bei ihm durch. Vielleicht verrieth er's
1945 Weil er mich für verloren hielt und nun
Mit Alexandra sich versöhnen wollte,
Bevor die Kunde kam. Wir werden seh'n!
Denn prüfen muß ich sie! Hätt' ich geahnt,
Daß sie's erfahren könnte, nimmer wär' ich
1950 So weit gegangen. Jetzt, da sie es weiß,
Jetzt muß ich weiter geh'n! Denn, nun sie's weiß,
Nun muß ich das von ihrer Rache fürchten,
Was ich von ihrer Wankelmüthigkeit
Vielleicht mit Unrecht fürchtete, muß fürchten,
1955 Daß sie auf meinem Grabe Hochzeit hält!
Soemus kam zur rechten Zeit. Er ist
Ein Mann, der, wär' ich selbst nicht auf der Welt,
Da stünde, wo ich steh'. Wie treu er denkt,
Wie eifrig er mir dient, beweis't sein Kommen.
1960 Ihm geb' ich jetzt den Auftrag! Daß sie Nichts
Aus ihm herauslockt, weiß ich, wenn sie ihn
Auf Menschenart versucht! — Verräth er mich,
So zahlt sie einen Preis, der — Salome,
Dann hast Du Recht gehabt! — Es gilt die Probe! (ab)

Vierter Act

Burg Zion. Mariamnens Gemächer

Erste Scene

Mariamne. Alexandra

Alexandra

ᵘu giebst mir Räthsel auf.   Zuerst der Schwur: 1965
ᶜh tödte mich, wenn er nicht wiederkehrt!
ᵃann bitt're Kälte, als er kam, ein Trotz,
ᵈer ihn empören mußte, wie er mich
ᵉrfreute!   Nun die tiefste Trauer wieder!
ᵈen mögt' ich seh'n, der Dich begreifen kann.   1970

Mariamne

ᵂenn das so schwer ist, warum plagst Du Dich?

Alexandra

ᵘnd dann die widerwillig-herbe Art,
ᴹit der Du den Soemus ferne hältst!
ᴹan sieht's ihm an, er hat was auf dem Herzen —

Mariamne

ᴹeinst Du?   1975

Alexandra

Gewiß!   Auch mögt' er's uns vertrau'n,
ᴬllein er wagt es nicht, er würde sich,
ᵂenn er Dich in den Jordan stürzen sähe,
ᵛielleicht bedenken, ob er Dich vom Tod
ᵃuch retten dürfe, und er hätte Recht,
ᵂenn maaßlos schnöde bist Du gegen ihn!   1980

Mariamne

ᴺicht wahr, Herodes wird nicht sagen können,
ᶦch hätte seinen Freund versucht, ich hätte
ᶦhm sein Geheimniß, wenn er eines hat,
ᴹit Schmeicheln abgelistet.   Nein, ich stell's
ᵈem Himmel heim, ob ich's erfahren soll!   1985
ᴹir sagt's mein Herz, ich wage Nichts dabei!

Zweite Scene

Sameas
(tritt ein; er trägt Ketten an den Händen)
Der Herr ist groß!

Mariamne
Er ist's!

Alexandra
Du frei und doch
In Ketten?   Noch ein Räthsel!

Sameas
Diese Ketten
Leg' ich nicht wieder ab!   Jerusalem
1990 Soll Tag für Tag daran erinnert werden,
Daß Jonas' Enkel im Gefängniß saß!

Alexandra
Wie kamst Du denn heraus?   Hast Du die Hüter
Bestochen?

Sameas
Ich?   Die Hüter?

Alexandra
Zwar, womit!
Dein härenes Gewand hast Du noch an,
1995 Und daß sie für ein Nest voll wilder Bienen,
Wie Du's, mit jedem hohlen Baum vertraut,
An sie verrathen konntest, Dich entließen,
Bezweifle ich, denn Honig giebt's genug!

Sameas
Wie fragst Du nur?   Soemus selbst hat mir
2000 Die Pforten aufgemacht!

Mariamne
Er hätt's gewagt?

Sameas

Was denn? Haſt Du es ihm denn nicht geboten?

Mariamne

Ich?

Sameas

Nein? Mir däucht doch, daß er ſo geſagt!
Ich kann mich irren, denn ich ſagte juſt
Rückwärts den letzten Pſalm her, als er eintrat,
Und hörte nur mit halbem Ohr auf ihn!   2005
Nun wohl! So hat's der Herr gethan, und ich
Muß in den Tempel gehen, um zu danken,
Und habe Nichts in Davids Burg zu thun!

Mariamne

Der Herr!

Sameas

Der Herr! Saß ich mit Recht im Kerker?

Mariamne

Die Zeiten ſind vorbei, worin der Herr   2010
Unmittelbar zu ſeinem Volke ſprach.
Wir haben das Geſetz. Das ſpricht für ihn!
Die Dampf= und Feuerſäule iſt erloſchen,
Durch die er unſern Vätern in der Wüſte
Die Pfade zeichnete, und die Propheten   2015
Sind ſtumm, wie er!

Alexandra

Das ſind ſie doch nicht ganz!
Es hat erſt kürzlich Einer einen Brand
Vorhergeſagt, und dieſer traf auch ein!

Mariamne

Jawohl, doch hatt' er ſelbſt um Mitternacht
Das Feuer angelegt.   2020

Sameas
Weib! Läſt're nicht!

Mariamne

Ich läst're nicht, ich sag' nur, was gescheh'n!
Der Mensch ist Pharisäer, wie Du selbst,
Er spricht, wie Du, er ras't, wie Du, der Brand
Hat uns beweisen sollen, daß er wirklich
2025 Prophet sei und das Künftige durchschaue,
Doch ein Soldat ertappt' ihn auf der That.

Sameas

Ein röm'scher?

Mariamne

Ja!

Sameas

Der log! Er war vielleicht
Gedungen! War gedungen vom Herodes,
Gedungen von Dir selbst!

Mariamne

Vergiß Dich nicht!

Sameas

2030 Du bist sein Weib, Du bist das Weib des Freylers,
Der sich für den Messias hält, Du kannst
Ihn in die Arme schließen und ihn küssen,
D'rum kannst Du auch was And'res für ihn thun!

Alexandra

Er hielte jetzt für den Messias sich?

Sameas

2035 Er thut's, er sagt' es mir in's Angesicht,
Als er mich in den Kerker führen ließ.
Ich schrie zum Herrn, ich rief: Sieh auf Dein Volk
Und schicke den Messias, den Du uns
Verheißen für die Zeit der höchsten Noth,
2040 Die höchste Noth brach ein! Darauf versetzt' er
Mit stolzem Hohn: Der ist schon lange da,
Ihr aber wißt es nicht! Ich bin es selbst!

Alexandra
un, Mariamne?

Sameas
Mit verruchtem Witz
ewies er dann, wir sei'n ein Volk von Irren
nd er der einzige Verständige,　　　　　　　　2045
ir wohnten nicht umsonst am todten Meer,
em die Bewegung fehle, Ebb' und Flut,
nd das nur darum alle Welt verpeste,
s sei ein treuer Spiegel uns'rer selbst!
r aber wolle uns lebendig machen,　　　　　　2050
nd müss' er uns auch Mosis dummes Buch —
o ruchlos sprach er — mit Gewalt entreißen;
enn das allein sei schuld, wenn wir dem Jordan
icht glichen, unserm klaren Fluß, der lustig
as Land durchhüpfe, sondern einem Sumpf!　　2055

Alexandra
o ganz warf er die Larve weg? *mark*

Sameas
Ja wohl!
och galt ich ihm, als er es that, vielleicht
ür einen Todten schon; denn meinen Tod
efahl er gleich nachher.

Mariamne
Er war gereizt!
r fand den Aufruhr vor!　　　　　　　　　　2060

Sameas
Dich mahn' ich nun
n Deine Pflicht! Sag' Du Dich los von ihm,
ie er sich losgesagt von Gott! Du kannst
n dadurch strafen, denn er liebt Dich sehr!
ls mich Soemus frei ließ, mußt' ich glauben,
u hätt'st es schon gethan. Thust Du es nicht,　2065
o schilt den Blitz, der aus den Wolken fährt,
icht ungerecht, wenn er Dich trifft, wie ihn!
h geh' jetzt, um zu opfern!

Alexandra

Nimm das Opfer
Aus meinem Stall!

Sameas

Ich nehm's, wo man's entbehrt!
2070 Das Lamm der Wittwe und das Schaf des Armen!
Was soll dein Rind dem Herrn! (ab)

Dritte Scene

Soemus
(kommt)

Verzeiht!

Mariamne

Ich wollte
Dich eben rufen lassen! Tritt heran!

Soemus
Das wär' zum ersten Mal gescheh'n!

Mariamne

Ja wohl!

Soemus
Du wichst mir aus bisher!

Mariamne

Hast Du mich denn
2075 Gesucht, und hast Du was an mich zu suchen?
Ich mag's nicht denken!

Soemus

Wenigstens das Eine:
Sieh mich als deinen treu'sten Diener an!

Mariamne
Das that ich, doch ich thu's nicht mehr!

Soemus

Nicht mehr?

fanatical Pharisee

Mariamne

Wie kannst Du dem Empörer, den Herodes
Gefangen setzen ließ, den Kerker öffnen?   2080
Ist er noch König, oder ist er's nicht?

Soemus

Die Antwort ist so leicht nicht, wie Du glaubst!

Mariamne

Fällt sie Dir schwer, so wirst Du's büßen müssen!

Soemus

Du weißt noch Nichts von der verlor'nen Schlacht!

Mariamne

Die Schlacht bei Actium, sie wär' verloren!   2085

Soemus

Antonius fiel von seiner eig'nen Hand!
Cleopatra desgleichen!

Anthony + Cleo. dead.

Alexandra

Hätte die
Den Muth gehabt?   Sie konnte sonst ein Schwert
Nicht einmal seh'n und schauderte vor seinem
Zurück, da er es ihr als Spiegel vorhielt!   2090

Soemus

Dem Hauptmann Titus ward es so gemeldet!
Octavianus flucht, daß man es nicht
Verhindert hat!   Ich selber las den Brief!

Mariamne

Dann hat der Tod auf lange Zeit sein Theil,
Und jedes Haupt steht fester, als es stand,   2095
Eh' das geschah!

Soemus
Meinst Du?

Mariamne
Du lächelst seltsam!

Soemus

Du kennst, wie's scheint, Octavianus nicht!
Der wird den Tod nicht fragen, ob ihn ekle,
Er wird ihm aus den Freunden des Antonius
2100 Noch eine Mahlzeit richten, und auch die
Wird nicht ganz arm an leckern Bissen sein!

Mariamne

Gilt das Herodes?

Soemus

Nun, wenn er das hält,
Was er sich vornahm —

Mariamne

Was war das?

Soemus

Er sprach:
Ich liebe den Antonius nicht mehr,
2105 Ich hasse ihn weit eher, doch ich werde
Ihm beisteh'n bis zum letzten Augenblick,
Obgleich ich fürchte, daß er fallen muß.
Ich bin's mir selber schuldig, wenn nicht ihm!

Mariamne

Echt königlich!

Soemus

Gewiß! Echt königlich!
2110 Nur ist Octav der Mann nicht, der's bewundert,
Und thut Herodes das —

Mariamne

Wer wagt, zu zweifeln?

Soemus

So ist er auch verloren, oder arg
Hat man Octavian beleidigt, als man
Die große Schlächterei nach Cäsars Tod
2115 Auf seine Rechnung setzte!

Mariamne

Daß Du fest
An diesen Ausgang glaubst, daß Du Herodes
Schon zu den Todten zählst, ist klar genug,
Sonst hätt'st Du nicht gewagt, was Du gewagt.
Auch schaudert's mir, ich will es Dir gesteh'n,
Vor Deiner Zuversicht, Du bist kein Thor,   2120
Und wagst gewiß nicht ohne Grund so viel.
Doch, wie's auch stehen möge, immer bin
Ich selbst noch da, und ich, ich will Dir zeigen,
Daß ich ihm auch im Tode noch Gehorsam
Zu schaffen weiß, es soll nicht ein Befehl,   2125
Den er gegeben, unvollzogen bleiben,
Das soll sein Todtenopfer sein!

Soemus

Nicht einer?
Ich zweifle, Königin! — (für sich) Jetzt falle, Schlag!

Mariamne

So wahr ich Maccabäerin, Du schickst
Den Sameas zurück in seinen Kerker!   2130

Soemus

Wenn Du es willst, so wird's gescheh'n, und wenn
Du mehr willst, wenn er sterben soll, wie's ihm
Der König drohte, sprich, und er ist todt!
Doch nun gestatte eine Frage mir:
Soll ich auch Dich, damit das Todtenopfer,   2135
Das Du zu bringen denkst, vollkommen sei,
Soll ich auch Dich mit meinem Schwert durchstoßen?
Ich hab' auch dazu den Befehl von ihm!

Mariamne

Geh'!

Alexandra

Nimmermehr!

Mariamne
So ist das Ende da!
2140 Und welch ein Ende! Eins, das auch den Anfang
Verschlingt und Alles! Die Vergangenheit
Lös't, wie die Zukunft, sich in Nichts mir auf!
Ich hatte Nichts, ich habe Nichts, ich werde
Nichts haben! War denn je ein Mensch so arm!

Alexandra
2145 Welch eine Missethat Du vom Herodes
Mir auch berichten mögtest, jede glaub' ich,
Doch diese —

Mariamne
Zweifle nicht! Es ist gewiß!

Alexandra
So sprichst Du selbst?

Mariamne
O Gott, ich weiß, warum!

Alexandra
Dann wirst Du wissen, was Du thun mußt!

Mariamne

Ja!

ATTEMPTS
SUICIDE

(sie zuckt den Dolch gegen sich)

Alexandra
(sie verhindernd)
2150 Wahnsinnige, verdient er das? Verdient er's,
Daß Du den Henker an Dir selber machst?

Mariamne
Das war verkehrt! Ich danke Dir! Dies Amt
Ersah er für sich selbst!
(sie schleudert den Dolch weg)
Versucher, fort!

Alexandra
Du wirst Dich in der Römer Schutz begeben!

Mariamne

Ich werde Keinen, dem an sich was liegt,   2155
Verhindern, das zu thun! — Ich selbst, ich gebe
Zur Nacht ein Fest!

Alexandra
Ein Fest?

Mariamne
Und tanze dort! —
Ja, ja, das ist der Weg!

Alexandra
Zu welchem Ziel?

Mariamne
He, Diener!

(Diener kommen)
Schließt die Prunkgemächer auf
Und ladet Alles ein, was jubeln mag!   2160
Steckt alle Kerzen an, die brennen wollen,
Pflückt alle Blumen ab, die noch nicht welkten,
Es ist nicht nöthig, daß was übrig bleibt!
(zu Moses)
Du hast uns einst die Hochzeit ausgerichtet,
Heut' gilt's ein Fest, das die noch übertrifft,   2165
D'rum spare Nichts!
(sie tritt vor)
Herodes, zitt're jetzt!
Und wenn Du niemals noch gezittert hast!

Soemus
(tritt zu ihr heran)
Ich fühle Deinen Schmerz, wie Du!

Mariamne
Dein Mitleid
Erlaß' ich Dir! Du bist kein Henkersknecht,
Ich darf nicht zweifeln, denn Du hast's gezeigt;   2170
Doch dafür ein Verräther, und Verräthern

Kann ich nicht danken, noch sie um mich dulden,
Wie nützlich sie auch sind auf dieser Welt.
Denn das verkenn' ich nicht! Wärst Du der Mann
2175 Gewesen, der Du schienst, so hätte Gott
Ein Wunder thun, so hätte er der Luft
Die Zunge, die ihr mangelt, leihen müssen,
Das sah er gleich voraus, als er Dich schuf,
D'rum macht' er zu der Heuchler erstem Dich!

Soemus

2180 Der bin ich nicht! Ich war Herodes' Freund,
Ich war sein Waffenbruder und Gefährte,
Eh' er den Thron bestieg, ich war sein Diener,
Sein treu'ster Diener, seit er König ist.
Doch war ich's nur, so lange er in mir
2185 Den Mann zu ehren wußte und den Menschen,
Wie ich in ihm den Helden und den Herrn.
Das that er, bis er, heuchlerisch die Augen
Zum ersten Mal unwürdig niederschlagend,
Den Blutbefehl mir gab, durch den er mich
2190 Herzlos, wie Dich, dem sichern Tode weihte,
Durch den er mich der Rache Deines Volks,
Dem Zorn der Römer und der eig'nen Tücke
Preis gab, wie Dich der Spitze meines Schwerts.
Da hatt' ich den Beweis, was ich ihm galt!

Mariamne

2195 Und drücktest Du ihm Deinen Abscheu aus?

Soemus

Das that ich nicht, weil ich Dich schützen wollte!
Ich übernahm's zum Schein, ich heuchelte,
Wenn Dir's gefällt, damit er keinem Andern
Den Auftrag gäbe und mich niederstäche;
2200 Ein Galiläer hätt' die That vollbracht!

Mariamne

Ich bitt' Dir ab. Du stehst zu ihm, wie ich,
Du bist, wie ich, in Deinem Heiligsten

Gekränkt, wie ich, zum Ding herabgesetzt!
Er ist ein Freund, wie er ein Gatte ist.
Komm auf mein Fest! (ab)   2205

Alexandra

So wartetest Du auch auf Deine Zeit,
Wie ich!

Soemus
Auf meine Zeit? Wie meinst Du das?

Alexandra

Ich sah es immer mit Verwund'rung an,
Wie Du vor diesem König, der der Laune
Des Römers seine Hoheit dankt, dem Rausch   2210
Des Schwelgers, nicht dem Stamm und der Geburt,
Den Rücken bogst, als hättest Du's, wie er,
Vergessen, daß Du seines Gleichen bist;
Doch jetzt durchschau' ich Dich, Du wolltest ihn
Nur sicher machen!   2215

Soemus
                    Darin irrst Du Dich!
Ich sprach in Allem wahr.   Für seines Gleichen
Halt' ich mich nicht und werd' es niemals thun!
Ich weiß, wie manchen Wicht es giebt, der ihm
Bloß darum, weil er nicht sein Enkel ist,
Mit Murren dient; ich weiß, daß And're ihm   2220
Die Treu' nur Mariamnens wegen halten:
Doch ich gehöre nicht zu dieser Schaar,
Die lieber einem Kinderschwert gehorcht,
Wenn's nur ererbt ward, als dem Heldenschwert,
Das aus dem Feuer erst geschmiedet wird.   2225
Ich sah den Höher'n immer schon in ihm
Und hob dem Waffenbruder seinen Schild,
Wenn er ihn fallen ließ, so willig auf,
Wie je dem König seinen Herrscherstab!
Die Krone, wie das erste Weib: ich gönnte   2230
Ihm Beides, denn ich fühlte seinen Werth!

Alexandra

Du bist doch auch ein Mann!

Soemus

                    Daß ich das nicht
Vergessen habe, das beweis' ich jetzt!
So groß ist Keiner, daß er mich als Werkzeug
2235 Gebrauchen darf! Wer Dienste von mir fodert,
Die mich, vollbracht und nicht vollbracht, wie's kommt,
Schmachvoll dem sichern Untergange weih'n,
Der spricht mich los von jeder Pflicht, dem muß
Ich zeigen, daß es zwischen Königen
2240 Und Sclaven eine Mittelstufe giebt,
Und daß der Mann auf dieser steht!

Alexandra

                    Mir gilt
Es gleich, aus welchem Grund: genug, Du trat'st
Zu mir herüber!

Soemus

                    Fürchte keinen Kampf mehr,
Er ist so gut, als todt! Octavian
2245 Ist kein Antonius, der sich das Fleisch
Vom Leibe hacken läßt und es verzeiht,
Weil er die Hand bewundert, die das thut!
Er sieht nur auf die Streiche.

Alexandra

                    Was sagt Titus?

Soemus

Der denkt, wie ich! Ich ließ den Sameas
2250 Nur darum frei, weil ich zur Rechenschaft
Gezogen werden wollte. Konnt' ich doch
Nicht anders an die Königin gelangen!
Jetzt weiß sie, was sie wissen muß, und ist
Der Todesbotschaft, wenn sie kommt, gewachsen.
2255 Das war mein Zweck! Welch edles Weib! Di
                              schlachter
Es wär' um ihre Thränen Schad' gewesen!

Alexandra

Gewiß, ein zärtlicher Gemahl! — Such' sie
Nur zu bereden, daß sie sich dem Schutz
Der Römer übergiebt und komm auf's Fest,
Durch das sie mit Herodes bricht, er mag   2260
Nun todt sein oder leben! (ab)

Soemus
(ihr folgend)
Er ist todt!

Vierte Scene
Diener treten auf und ordnen das Fest an

Moses

Nun, Artaxerxes?   Wieder in Gedanken?
Flink! Flink! Du stellst bei uns die Uhr nicht vor!

Artaxerxes

Hätt'st Du das Jahre lang gethan, wie ich,
So würd' es Dir auch ganz so geh'n, wie mir!   2265
Besonders, wenn Du alle Nächte träumtest,
Du hätt'st das alte Amt noch zu verseh'n!
Ich greif' ganz unwillkürlich mit der Rechten
Mir an den Puls der Linken, zähl' und zähle
Und zähle oft bis sechszig, eh' ich mich   2270
Besinne, daß ich keine Uhr mehr bin!

Moses

Merk' Dir es endlich denn, daß Du bei uns
Die Zeit nicht messen sollst!   Wir haben dazu
Den Sonnenweiser und den Sand!   Du selbst
Sollst, wie wir Andern, in der Zeit was thun!   2275
Faullenzerei, Nichts weiter!

Artaxerxes
Laß Dir schwören!

H.U.M.—5*

Moses

Schweig! Schweig! Beim Essen zähltest Du noch nie!
Im Uebrigen: man schwört auch nicht bei uns,
Und (für sich) wär' der König nicht ein halber Heide,
2280 So hätten wir auch den fremden Diener nicht!
Da kommen schon die Musicanten! Flink!

(geht zu den Uebrigen)

Jehu

Du, ist das wirklich wahr, was man von Dir
Erzählt?

Artaxerxes

Wie sollt' es denn nicht wahr sein?
Soll ich's vielleicht noch hundert Mal betheuern?
2285 Am Hofe des Satrapen war ich Uhr
Und hatt' es gut, viel besser, wie bei Euch!
Nachts ward ich abgelös't, dann war's mein Bruder,
Und auch bei Tage, wenn's zum Essen ging.
Ich dank' es wahrlich Eurem König nicht,
2290 Daß er mich mit den andern Kriegsgefang'nen
Hiehergeschleppt! Zwar ward mein Dienst zuletzt
Ein wenig schwer! Ich mußte mit in's Feld,
Und wenn man links und rechts die Pfeile fliegen,
Die Menschen fallen sieht, verzählt man sich
2295 Natürlich leichter als in einem Saal,
Wo sie zusammenkommen, um zu tanzen.
Ich schloß die Augen, denn ich bin kein Held,
Wie es mein Vater war. Den traf ein Pfeil
Auf seinem Posten — er war Uhr, wie wir,
2300 Ich und mein Bruder, Alle waren Uhren —
Er rief die Zahl noch ab und starb! Was sagst Du?
Das war ein Mann! Dazu gehörte mehr,
Als nöthig war, den Pfeil ihm zuzuschicken!

Jehu

Habt Ihr denn keinen Sand bei Euch zu Hause,
2305 Daß Ihr das thun müßt?

Artaxerxes

Wir? Wir keinen Sand?
Genug, um ganz Judäa zu bedecken!
Es ist ja nur, weil der Satrap bei uns
Es besser haben soll, wie's And're haben!
Der Puls des Menschen geht doch wohl genauer,
Wenn er gesund ist und kein Fieber hat, 2310
Wie Euer Sand durch seine Röhre läuft?
Und nützen Euch die Sonnenweiser was,
Wenn es der Sonne nicht gefällt zu scheinen?

(zählt)

Eins — Zwei —

Moses

(kommt zurück)

Fort! Fort! Die Gäste kommen schon!

Artaxerxes

Das ist das Fest? Da sah ich and're Feste! 2315
Wo keine Frucht gegessen ward, die nicht
Aus einem fremden Welttheil kam! Wo Strafe,
Oft Todesstrafe, darauf stand, wenn Einer
Nur einen Tropfen Wasser trank. Wo Menschen,
Die man mit Hanf umwickelt und mit Pech 2320
Beträufelt hatte, in den Gärten Nachts
Als Fackeln brannten —

Moses

Höre auf! Was hatten
Die Menschen dem Satrapen denn gethan?

Artaxerxes

Gethan? Gar Nichts! Bei uns ist ein Begräbniß
Viel prächtiger, wie eine Hochzeit hier! 2325

Moses

Vermuthlich freßt Ihr Eure Todten auf?
Es paßte gut zum Uebrigen!

Artaxerxes

Dann ist's
Auch wohl nicht wahr, daß Eure Königin
Im Wein einst eine Perle aufgelös't,
2330 Kostbarer, als das ganze Königreich,
Und daß sie diesen Wein an einen Bettler
Gegeben hat, der ihn, wie andern, soff?

Moses

Das ist es nicht! Gott Lob!

Artaxerxes

(zu Jehu)

Du sagtest's aber!

Jehu

Weil es mir eine Ehre für sie schien,
2335 Und weil man's von der Aegypterin erzählt!

Moses

Hinweg!

Artaxerxes

(deutet auf die Rosen, die Jehu trägt)

Wirkliche Rosen! Die sind billig,
Bei uns sind's silberne und goldene!
Die soll man dahin schicken, wo die Blumen
So kostbar sind, wie Gold und Silber hier!

(Diener zerstreuen sich. Die Gäste, unter ihnen Soemus
haben sich während der letzten Hälfte dieser Scene versammelt
Musik. Tanz. Silo und Judas sondern sich von der
Uebrigen und erscheinen im Vordergrund)

Silo

2340 Was soll das heißen?

Judas

Was das heißen soll?
Der König kehrt zurück! Und das noch heut'!

Silo

Meinst Du?

Judas

Wie kannst Du fragen!   Giebt's denn wohl
noch einen andern Grund für solch ein Fest?
Leb' Dich auf einen neuen Bückling ein!

Silo

's hieß ja aber —   2345

Judas

Lug und Trug, wie immer,
Denn's hieß, ihm sei was Schlimmes widerfahren,
Und ganz natürlich, da's so Viele giebt,
Die ihm das Schlimme wünschen!   Wird getanzt
In einem Haus, wo man um Todte klagt?

Silo

Da wird denn bald viel Blut vergossen werden,   2350
Die Kerker stecken seit dem Aufruhr voll!

Judas

Das weiß ich besser, als Du's wissen kannst.
Ich habe Manchen selbst hineingeschleppt.
Denn dieser Aufruhr war so unvernünftig,
Daß Jeder, der nicht eben darauf sann,   2355
Sich selbst zu hängen, ihn bekämpfen mußte.
Du weißt, ich liebe den Herodes nicht,
Wie tief ich mich auch immer vor ihm bücke,
Doch darin hat er Recht: die Römer sind
Zu mächtig gegen uns, wir sind nicht mehr,   2360
Als ein Insect ist in des Löwen Rachen,
Das soll nicht stechen, denn es wird verschluckt!

Silo

Mir thut's nur leid um meines Gärtners Sohn,
Der einen Stein nach einem röm'schen Adler
Geworfen und ihn auch getroffen hat!   2365

Judas

Wie alt ist der?

Silo
Wie lange ist es doch,
Daß ich den Fuß brach? — Da ward er geboren,
Denn seine Mutter konnte mich nicht pflegen,
Ja, richtig — Zwanzig!

Judas
Da geschieht ihm Nichts!
(Mariamne und Alexandra erscheinen)
2370 Die Königin! (will gehen)

Silo
Wie meinst Du das? Ein Wort noch!

Judas
Wohl! im Vertrau'n denn! Weil er Zwanzig ist,
Geschieht ihm Nichts! Doch wenn er neunzehn wär'
Und einundzwanzig, ginge es ihm schlecht!
Im künft'gen Jahr steht's anders!

Silo
Spaße nicht!

Judas
2375 Ich sage Dir, so ist's! Und willst Du wissen
Warum? Der König selbst hat einen Sohn
Von zwanzig Jahren, doch er kennt ihn nicht!
Die Mutter hat ihm, als er sie verließ,
Das Kind entführt und feierlich geschworen,
2380 Es zu verderben —

Silo
Gräuelhaftes Weib!
Heidin?

Judas
Vermuthlich! Zwar, ich weiß es nicht! —
So zu verderben, daß er's tödten müsse,
Verstehst Du mich? Ich halt's für Raserei,
Die sich gelegt hat nach der ersten Wuth,

Doch ihn macht's ängstlich, und kein Todesurtheil 2385
Ward je an einem Menschen noch vollzogen,
Der in dem Alter seines Sohnes stand.
Tröst' Deinen Gärtner! Doch behalt's für Dich!
(verlieren sich wieder unter die Uebrigen)

Fünfte Scene
Alexandra und Mariamne erscheinen im Vordergrund

Alexandra
So willst Du Dich nicht zu den Römern flüchten?

Mariamne
Wozu nur? 2390

Alexandra
Um das Leben Dir zu sichern!

Mariamne
Das Leben! Freilich! Das muß man sich sichern!
Der Schmerz hat keinen Stachel ohne das!

Alexandra
So gieb der Stunde wenigstens ihr Recht!
Du giebst ein Fest, so zeig' auch Deinen Gästen
Ein festliches Gesicht, wie sich's gebührt! 2395

Mariamne
Ich bin kein Instrument und keine Kerze,
Ich soll nicht klingen, und ich soll nicht leuchten,
D'rum nehmt mich, wie ich bin! Nein! Thut es nicht!
Treibt mich, das Beil für meinen Hals zu wetzen,
Was red' ich, treibt mich, daß ich mit Euch juble — 2400
Soemus, auf!
(zu Salome, die eben eintritt und ihr entgegenschreitet)
Du, Salome? Willkommen
Vor Allen mir, trotz Deiner Trauerkleider!
Das hätt' ich kaum gehofft!

Sechste Scene

Salome

Ich muß ja wohl,

Wenn ich erfahren will, wie's steht! Ich werde
2405 Zu einem Fest geladen, doch man sagt
Mir nicht, warum das Fest gegeben wird!
Zwar kann ich's ahnen, doch ich muß es wissen!
Nicht wahr: Herodes kehrt zurück? Wir werden
Ihn heut' noch seh'n? Die Kerzen sagen Ja,
2410 Die lustige Musik! Thu Du es auch!
Ich frag' nicht meinetwegen! Doch Du weißt —
Nein, nein, Du weißt es nicht, Du hast's vergessen,
Du hast vielleicht geträumt, sie sei begraben,
Sonst hätt'st Du ihr die Kunde nicht verhehlt,
2415 Allein Dein Traum hat Dich getäuscht, sie sitzt
Noch immer in der Ecke, wo sie saß,
Als sie Dich segnete —

Mariamne
Was redest Du?

Salome

Genug! Herodes hat noch eine Mutter,
Die bangt um ihren Sohn und härmt sich ab.
2420 Und ich, ich bitt' Dich: laß sie das Verbrechen,
Daß sie auch mich gebar, nicht länger büßen,
Gieb ihr den Trost, nach dem ihr Herz verlangt!

Mariamne
Ich hab' für seine Mutter keinen Trost!

Salome
Du hast Herodes heut' nicht zu erwarten?

Mariamne
2425 Nichts weniger! Ich hörte, er sei todt!

Salome
nd feierst dieses Fest?

Mariamne
Weil ich noch lebe!
oll man sich denn nicht freu'n, daß man noch lebt?

Salome
h glaub' Dir nicht!

Mariamne
Viel Dank für Deinen Zweifel!

Salome
ie Kerzen —

Mariamne
Sind sie nicht zum Leuchten da?

Salome
e Cymbeln —   2430

Mariamne
Müssen klingen, weißt Du's anders?

Salome
(deutet auf Mariamnens reiche Kleidung)
e Edelsteine —

Mariamne
Stünden Dir zwar besser —

Salome
as Alles deutet —   .

Mariamne
Auf ein Freudenfest!

Salome—
as über einem Grabe —

Mariamne
Es ist möglich!

Salome

Dann — Mariamne, hör' ein ernstes Wort!
2435 Ich hab' Dich stets gehaßt, doch immer blieb mir
Ein Zweifel, ob es auch mit Recht geschah,
Und reuig hab' ich oft mich Dir genähert,
Um —

Mariamne

Mich zu küssen! Einmal that'st Du's gar!

Salome

Jetzt aber seh' ich, Du bist —

Mariamne

Schlecht genug,
2440 Dich steh'n zu lassen und mich in die Schaar
Zu mischen, welche dort den Tanz beginnt!
Soemus!

Soemus
(reicht ihr den Arm)

Königin!

Mariamne

So hat Herodes
Mich ganz gewiß gesehen, als er Dir
Den blutigen Befehl gab. Wunderbar!
2445 Es ist nun wirklich Alles so gekommen!
(im Abgehen zu Salome)

Du siehst doch zu?
(von Soemus in den Hintergrund geführt, wo sie Beide nicht m
gesehen werden)

Salome

Dies Weib ist noch viel schlechter
Als ich's mir dachte! Das will Etwas sagen!
D'rum hat sie auch die bunte Schlangenhaut,
Mit der sie Alles ködert! — Ja, sie tanzt!
2450 Nun, wahrlich, jetzt ist mein Gewissen ruhig,
Der kann kein Mensch auf Erden Unrecht thun!
(sie sieht Mariamnen zu)

Siebente Scene

Alexandra kommt mit Titus

Alexandra

tus, Du siehst, wie meine Tochter trauert!

Titus

e hat wohl neue Botschaft von Herodes?

Alexandra

te Botschaft, daß es mit ihm aus ist! Ja!

Titus
(sieht nach Mariamnen)

e tanzt!   2455

Alexandra

Als wäre sie, statt Wittwe, Braut!
tus, sie trug bis heute eine Maske,
d, merk' Dir das, sie that es nicht allein!

Titus

ehr gut für sie! Dann bleibt sie, was sie ist!
ehört sie zu den Feinden des Herodes,
o wird sie nicht mit seinen Freunden büßen!   2460

Alexandra

n das zu zeigen, giebt sie ja dies Fest!
(entfernt sich von Titus)

Titus

schaudert mir vor diesen Weibern doch!
te Eine haut dem Helden, den sie erst
urch heuchlerische Küsse sicher machte,
n Schlaf den Kopf ab, und die And're tanzt,   2465
n sich nur ja die Krone zu erhalten,
te rasend, auf dem Grabe des Gemahls!
n das zu seh'n, ward ich gewiß geladen —
(er sieht wieder nach Mariamnen)
t, ja, ich seh's und will's in Rom bezeugen —
och trinke ich hier keinen Tropfen Wein!   2470

Salome

Was sagst Du, Titus? Steht es mit dem König
So schlecht, daß die schon Alles wagen darf?

Titus

Wenn er nicht gleich sich zum Octavian
Geschlagen und dem Marc Anton vor'm Fall
2475 Den letzten Stoß noch mitgegeben hat,
Und das bezweifle ich, so steht's nicht gut!

Salome

O hätt' er's doch gethan! — Wenn die den Kopf
Behält, so weiß ich nicht, warum der Herr
Das Blut der üpp'gen Jesabel den Hunden
2480 Zu lecken gab! (verliert sich unter die Uebrigen)

Titus

      Sie tanzt noch fort! Doch scheint's
Ihr nicht ganz leicht zu sein! Sie müßt' erglühen,
Doch sie erbleicht, als ob sie in Gedanken
Was And'res thäte und nur unwillkürlich
Dem Reigen folgte! Nun, auch diese Judith
2485 Hat wohl nicht ohne Angst ihr Werk vollbracht!
Und die da muß den letzten Kuß des Mannes,
Den sie hier jetzt vor mir so feierlich
Verläugnet, noch auf ihrer Lippe fühlen,
Auch sah sie ihn ja noch nicht todt! — Sie kommt!
(Mariamne erscheint wieder. Alexandra und Soem
folgen ihr)

Alexandra

(zu Mariamne)

2490 Ich sprach mit Titus!

Mariamne

(erblickt bei einer plötzlichen Wendung ihr Bild im Spiegel)

Ha!

Alexandra
Was haſt Du denn?

Mariamne

So hab' ich mich ja ſchon im Traum geſeh'n! —
Das alſo war's, was mich vorhin nicht ruh'n ließ,
Bis der verlorene Rubin ſich fand,
Der jetzt auf meiner Bruſt ſo düſter glimmt:
Das Bild hätt' eine Lücke ohne ihn! —   2495
Auf dieſes folgt das letzte bald!

Alexandra
Komm zu Dir!

Mariamne

So laß mich doch! — Ein Spiegel, ganz, wie der!
Zu Anfang angelaufen, wie vom Hauch
Des Athmenden, dann, wie die Bilder, die
Er nach einander zeigte, ſanft ſich klärend   2500
Und endlich leuchtend, wie geſchliff'ner Stahl.
Ich ſah mein ganzes Leben! Erſt erſchien ich
Als Kind, von zartem Roſenlicht umfloſſen,
Das immer röther, immer dunkler ward:
Da waren mir die eig'nen Züge fremd,   2505
Und bei der dritten Wandlung erſt erkannt' ich
Mich in dem gar zu jungen Angeſicht.
Nun kam die Jungfrau und der Augenblick,
Wo mich Herodes in den Blumengarten
Begleitete und ſchmeichelnd zu mir ſprach: 2510
So ſchön iſt Keine, daß ſie Deine Hand
Nicht pflücken dürfte! — Ha, er ſei verflucht,
Daß er's ſo ganz vergaß! So ganz! Dann ward's
Unheimlich, und ich mußte wider Willen
Die Zukunft ſchau'n. Ich ſah mich ſo und ſo,   2515
Und endlich, wie ich hier ſteh'! (zu Alexandra) Iſt es denn
Nicht ſeltſam, wenn ein Traum in's Leben tritt? —
Nun trübte ſich der helle Spiegel wieder,
Das Licht ward aſchenfarbig, und ich ſelbſt,

2520 Die kurz zuvor noch Blühende, so bleich,
Als hätt' ich unter diesem Prachtgewand
Schon längst aus allen Adern still geblutet.
Ein Schauder packte mich, ich rief: Jetzt komme
Ich als Geripp, und das will ich nicht seh'n!
2525 Da wandt' ich mich — (sie wendet sich vom Spiegel ab)

Stimmen im Hintergrund
Der König!
(allgemeine Bewegung)

Alexandra

Wer?

Achte Scene
Herodes tritt ein, kriegerisch angethan. Joab. Gefolge

Mariamne
Der Tod! Der Tod! Der Tod ist unter uns!
Unangemeldet, wie er immer kommt!

Salome
Der Tod für Dich! Ja wohl! So fühlst Du's selbst?
Mein Bruder! (will Herodes umarmen, er drängt sie zurück)

Herodes
Mariamne! (er nähert sich ihr)

Mariamne
(weis't ihn mit einer heftigen Geberde zurück)

Zieh das Schwert!
2530 Reich' mir den Giftpocal! Du bist der Tod!
Der Tod umarmt und küßt mit Schwert und Gift!

Herodes
(kehrt sich nach Salome um)
Was soll das heißen? Tausend Kerzen riefen
Mir aus der Ferne durch die Nacht schon zu:
Dein Bote ward nicht von den Arabern
2535 Ergriffen, er kam an, Du wirst erwartet,
Und jetzt —

Salome

Die Kerzen haben Dich betrogen,
Hier ward gejubelt über Deinen Tod!
Dein Bote kam nicht an, und Deine Mutter
Zerriß schon ihr Gewand um Dich!

Herodes
(sieht um sich, bemerkt Titus und winkt ihm)

Titus
(tritt heran)

So ist's!
Hier war kein Mensch darauf gefaßt, ich selbst   2540
Nicht einmal ganz, daß Du noch vor der Schlacht
Bei Actium den Antonius verlassen
Und, wie's die Klugheit freilich rieth, zum Cäsar
Hinüber gehen würdest! Daß Du's thatest,
Beweis't mir Deine Wiederkunft. Nun wohl!   2545
Ich — wünsch' Dir Glück!

Mariamne
(tritt herzu)

Und ich beklage Dich,
Daß die Gelegenheit sich Dir nicht bot,
Den Marc Anton mit eig'ner Hand zu schlachten.
So hätt'st Du Deinem neuen Herrn am besten
Gezeigt, daß Dir am alten Nichts mehr lag;   2550
Du hätt'st ihm Deines Freundes Kopf gebracht,
Er hätt' ihn mit der Krone Dir bezahlt!

Herodes

Pfui, Titus, pfui! Auch Du denkst so von mir?
Ich zog hinunter nach Arabien,
Wie mir's Antonius geboten hatte,   2555
Allein ich fand dort keinen Feind! Nun macht' ich
Mich auf nach Actium, und meine Schuld
War's nicht, wenn ich zu spät kam. Hätt' er sich
Gehalten, wie ich glaubte, daß er's würde,
So hätt' ich (gegen Mariamne) die Gelegenheit gesucht,   2560

Ihm mit dem Kopfe des Octavian
Die Krone zu bezahlen! (zu Titus) Er that's nicht!
Er war schon todt, als ich erschien. Nun that ihm
Der Freund nicht weiter noth, und ich begab
2565 Mich zum Octavian; zwar nicht als König —
Die Krone legt' ich ab — doch darum auch
Als Bettler nicht. Ich zog mein Schwert und sprach
Dieß wollt' ich brauchen gegen Dich, ich hätt' es
Vielleicht mit Deinem eig'nen Blut gefärbt,
2570 Wenn's hier noch besser stünde. Das ist aus!
Jetzt senke ich's vor Dir und leg' es ab!
Erwäge Du nun, welch ein Freund ich war,
Nicht, wessen Freund; der Todte gab mich frei:
Ich kann jetzt, wenn Du willst, der Deine sein!

Titus

2575 Und er?

Herodes

Er sprach: Wo hast Du Deine Krone?
Ich setz' noch einen Edelstein hinein,
Nimm die Provinz hin, die Dir fehlt bis heute,
Du sollst es nur an meiner Großmuth fühlen,
Daß ich der Sieger bin, nicht Marc Anton,
2580 Er hätt' sie Cleopatren nie genommen,
Die sie bisher besaß, ich schenk' sie Dir!

Titus

Das — hätt' ich nie gedacht. Auch preis' ich Nichts,
Als Deinen Stern!

Herodes

Titus! O preis' ihn nicht!
Ich ward zu schwerem Werk gespart! Soemus!

Soemus

(bleibt stehen, wo er steht und antwortet nicht)

Herodes

2585 Verriethst Du mich? Du schweigst! Ich weiß genug!
O! O! Hinweg mit ihm!

Soemus
(indem er abgeführt wird)

Ich läugne Nichts!
Doch, daß ich Dich für todt hielt, magst Du glauben!
Jetzt thu, was Dir gefällt! (ab)

Herodes

Und nach dem Tode
Hört Alles auf, nicht wahr? Ja! Ja! Mein Titus,
Hätt'st du den Mann gekannt, wie ich —— Du würdest 2590
Nicht so gelassen, nicht so ruhig da steh'n,
Wie ich hier steh', Du würdest schäumen, knirschen
Und wüthend sprechen:
(gegen Mariamne)
Weib, was thatst Du Alles,
Um den so weit zu bringen? — Salome,
Du hattest Recht, ich muß mich waschen, waschen — 2595
Blut her! Sogleich beruf' ich ein Gericht!
(gegen Mariamne)
Du schweigst? Du hüllst Dich noch in Deinen Trotz?
Ich weiß warum! Du hast's noch nicht vergessen,
Was Du mir warst! Auch jetzt noch riss' ich leichter
Das Herz mir aus der Brust — Titus, so ist's! — 2600
Als (wieder zu Mariamne) Dich mir aus dem Herzen!
Doch ich thu's!

Mariamne
(wendet sich kurz)

Ich bin Gefang'ne?

Herodes
Ja!

Mariamne
(zu den Soldaten)

So führt mich ab!
(wendet sich. Auf Herodes' Wink folgt ihr Joab mit Soldaten)
Der Tod kann mein Gemahl nicht länger sein! (ab)

Herodes

Ha! Ha!   Zu der hab' ich einmal gesprochen:
2605 Zwei Menschen, die sich lieben, wie sie sollen,
Können einander gar nicht überleben,
Und wenn ich selbst auf fernem Schlachtfeld fiele:
Man brauchte Dir's durch Boten nicht zu melden,
Du fühltest es sogleich, wie es gescheh'n,
2610 Und stürbest ohne Wunde mit an meiner!
Titus, verlach' mich nicht! So ist's! So ist's!
Allein die Menschen lieben sich nicht so! (ab)

Fünfter Act

Großer Audienzsaal, wie im ersten Act. Man erblt
Thron und Richtertafel

Erste Scene

Herodes und Salome

Herodes

Hör' auf, hör' auf! Ich habe das Gericht
Bestellt und werde seinen Spruch vollzieh'n!
2615 Ich, der ich sonst vor jedem Fieber bebte,
Wenn's auch nur ihre Kammerfrau befiel,
Ich selbst bewaffne gegen sie den Tod!
Das sei genug! Wenn Dich Dein Eifer noch
Nicht ruhen läßt, wird er sein Ziel verfehlen,
2620 Ich werde denken, daß der Haß allein
Aus Deinem Munde spricht, und Dich als Zeugin
Verwerfen, wenn ich jede Kerze auch
Als solche gelten lasse, die geflammt,
Und jede Blume, die geduftet hat!

Salome

2625 Herodes! Läugnen will ich's nicht, ich habe
Nach ihren Fehlern einst gespäht und sie
Vergrößert, wie Du selbst die Tugenden,
Die Du an ihr entdecktest. War der Stolz,
Womit sie mir und Deiner Mutter immer

egegnete, war er ein Grund zur Liebe?
ie gab sich als ein Wesen höh'rer Art,
as niemals einen anderen Gedanken,
ls den, in mir erregte: wozu ist
as dicke Buch, das von den Heldenthaten 2635
er Maccabäer uns erzählt, nur da?
ie trägt ja selbst die Chronik im Gesicht!

Herodes

u willst mich widerlegen und besiegelst
en Spruch, den ich gefällt!

Salome

Hör' mich nur aus!
o war's, ich läugn' es nicht. Doch wenn ich jetzt
ehr sagte, als ich weiß und denk' und fühle, 2640
, wenn ich nicht aus schwesterlichem Mitleid
ie Hälfte dessen, was ich sagen könnte,
och in der Brust verschloß, so soll mein Kind —
h liebe es ja wohl? — so viele Jahre
leben, als sein Scheitel Haare zählt, 2645
nd jeder Tag ihm so viel Schmerzen bringen,
ls er Minuten, ja Secunden hat!

Herodes

er Schwur ist fürchterlich!

Salome

Und dennoch fällt er
ir leichter, als das Wort: die Nacht ist schwarz!
ein Auge könnte krank sein, doch unmöglich 2650
t mit dem Auge krank zugleich das Ohr,
, der Instinct, das Herz und jegliches
rgan, das meine Sinne unterstützt!
nd Alle stimmen dies Mal so zusammen,
ls könnten sie sich gar nicht widersprechen. 2655
, hätte Gott in jener Festes=Nacht
ir aus des Himmels Höhen zugerufen:

Von welchem Uebel soll ich Eure Erde
Befrei'n, Du hast die Wahl, so hätt' ich nicht
2660 Die Pest, ich hätt' Dein böses Weib genannt!
Mir schauderte vor ihr, mir war zu Muth',
Als hätt' ich einem Dämon aus der Hölle
Im Finstern meine Menschenhand gereicht,
Und er verhöhnte mich dafür, er träte
2665 In seiner eig'nen schrecklichen Gestalt
Aus dem gestohl'nen Leib von Fleisch und Blut
Hervor und grins'te mich durch Flammen an.
Auch schauderte mir nicht allein, der Römer
Sogar, der eh'rne Titus, war entsetzt!

Herodes

2670 Ja wohl, und der wiegt schwerer, als Du selbst,
Denn, wie er Keinen liebt, so haßt er Keinen
Und ist gerecht, wie Geister ohne Blut.
Verlaß mich jetzt, denn ich erwarte ihn!

Salome

Nein, niemals werd' ich diesen Tanz vergessen,
2675 Bei dem sie nach dem Tacte der Musik
Den Boden trat, als wüßte sie's gewiß,
Daß Du darunter lagst! Bei Gott, ich wollte,
Ich müßte das nicht sagen! Denn ich weiß,
Wie tief es Dich, der Du ihr Mutter, Schwester,
2680 Und was nicht, opfertest, empören muß!
Allein, so war es! (ab)

Zweite Scene
Herodes
(allein)

           Titus sagte mir
Das Nämliche! Auch sah ich selbst genug!
Und die hat recht! Ich habe ihr die Schwester
Und fast die Mutter auch geopfert: wögen
2685 Die nicht den Bruder auf, den sie verlor?
In ihren Augen nicht!

Dritte Scene

Titus tritt ein

Herodes
Nun, Titus, nun?
Bekennt Soemus?

Titus
Was Du weißt! Nicht mehr!

Herodes
Nichts von —

Titus
O nein! Er fuhr, wie rasend, auf,
Als ich von fern nur darauf deutete!

Herodes
Ich konnte es erwarten! 2690

Titus
Niemals hätte
Ein Weib, wie Dein's, gelebt, und niemals sei
Ein Mann des Kleinods, das ihm Gott beschieden,
So wenig werth gewesen —

Herodes
Als ich selbst!
Ja, jai — „Er wußte nicht, was Perlen sind,
D'rum nahm ich ihm sie weg!" So sprach der Dieb. 2695
Ich weiß nicht, half's ihm was?

Titus
Ihr Herz sei edler
Als Gold —

Herodes
So kennt er es? Er ist berauscht
Und lobt den Wein! Ist das nicht ein Beweis,
Daß er getrunken hat? Was schützte er
Denn vor? Warum verrieth er meinen Auftrag 2700
An sie?

Titus
Aus Abscheu, wie er sagt!

Herodes
Aus Abscheu?
Und diesen Abscheu sprach er mir nicht aus?

Titus
Wär' das ihm wohl bekommen? Hätteft Du
Den starren Diener leben lassen können,
2705 Der den Befehl einmal von Dir empfing
Und ihn zurückwies?

Herodes
War's in solchem Fall
Denn nicht genug, ihn unvollführt zu lassen?

Titus
Gewiß! Doch wenn er weiter ging, so that er's
Vielleicht, weil Du ihm schon verloren schienst,
2710 Und weil er nun die Gunst der Königin
Auf Deine Kosten sich erkaufen wollte,
In deren Händen seine Zukunft lag.

Herodes
Nein, Titus, nein! Soemus war der Mann,
In eigener Person den Griff zu wagen,
2715 Der uns die fremde Gunst entbehrlich macht!
Nur darum übertrug ich's ihm, ich dachte:
Er thut's für sich, wenn er's für Dich nicht thut!
Ja, wär' er ein Gering'rer, als er ist,
Und hätt' er nicht in Rom die vielen Freunde,
2720 So wollt' ich's glauben, aber jetzt — Nein, nein,
Es gab nur Einen Grund!

Titus
Und dennoch räumt
Er den nicht ein!

Herodes

Er wär' nicht, was er ist,
Wenn er es thäte, denn er weiß gar wohl,
Was folgen wird, und hofft nun, durch sein Läugnen
In meiner Brust noch einen letzten Zweifel   2725
Zu wecken, der, wenn nicht sein eig'nes Haupt,
So doch das ihrige, vor'm Tode schützt!
Allein er irrt, dem Zweifel fehlt der Stachel,
Denn hätt' ich Nichts zu strafen, was sie that,
So straft' ich, was sie ward, und was sie ist!   2730
Ha! Wär' sie je gewesen, was sie schien:
Sie hätte so sich nie verwandeln können,
Und Rache nehm' ich an der Heuchlerin!
Ja, Titus, ja, ich schwör' es bei dem Schlüssel
Zum Paradies, den sie in Händen hält;   2735
Bei aller Seligkeit, die sie mir schon
Gewährte und mir noch gewähren kann;
Ja, bei dem Schauder, der mich eben mahnt,
Daß ich in ihr mich selbst vernichten werde:
Ich mach' ein Ende, wie's auch stehen mag!   2740

Titus

Es ist zu spät, Dir warnend zuzurufen:
Gieb den Befehl nicht! und ich kenne selbst
Kein Mittel, das zur Klarheit führen kann,
D'rum wag' ich nicht zu sagen: halte ein!

Vierte Scene
Joab tritt ein
Herodes

Sind sie versammelt?   2745

Joab

Längst!   Aus dem Gefängniß
Muß ich Dir melden, was mir wichtig scheint!
Man kann den Sameas nicht so weit bringen,
Daß er sich selbst entleibt!

Herodes

Ich gab Befehl,
Daß man ihn martern soll, bis er es thut!

(zu Titus)

2750 Der hat geschworen, hört' ich, sich zu tödten,
Wenn er mich nicht zu seines Gleichen machen,
Den Heidensinn in mir, wie er es nennt,
Nicht brechen könne.   Da ihm das mißlang,
So zwinge ich ihn, seinen Schwur zu halten,
2755 Er hat den Tod wohl tausendfach verdient!

Titus

Ich hätte selbst auf seinen Tod gedrungen,
Denn er hat mich beschimpft und Rom in mir,
Und das kann überall verziehen werden,
Nur hier nicht, wo das Volk so störrig ist!

Herodes

(zu Joab)

2760 Nun denn!

Joab

Man that getreu nach Deinen Worten,
Allein es half zu Nichts.   Der Henker hat
Fast jede Qual ihm angethan, er hat
Ihm obendrein, ergrimmt ob seinem Trotz,
Den er für Hohn nahm, Wunden beigebracht,
2765 Doch ist's, als hätt' er einen Baum gegeißelt,
Als hätte er in Holz hinein geschnitten:
Der Alte steht so da, als fühlt' er Nichts,
Er singt, anstatt zu schrei'n und nach dem Messer
Zu greifen, das ihm vorgehalten wird,
2770 Er singt den Psalm, den die drei Männer einst
Im feur'gen Ofen sangen, er erhebt
Bei jedem neuen Schmerz die Stimme lauter
Und, wenn er einhält, prophezeit er gar!

Herodes

(für sich)

So sind sie!   Ja! — Und wird sie anders sein?

Joab

Dann ruft er aus, als hätt' er für geheime   2775
Und wunderbare Dinge so viel Augen
Bekommen, als er Wunden zählt, nun sei
Die Zeit erfüllt, und in die Krippe lege
Die Jungfrau=Mutter aus dem Stamme Davids
In diesem heil'gen Augenblick ein Kind,   2780
Das Throne stürzen, Todte wecken, Sterne
Vom Himmel reißen und von Ewigkeit
Zu Ewigkeit die Welt regieren werde.
Das Volk indeß, zu Tausenden versammelt,
Harrt draußen vor den Thoren, hört das Alles   2785
Und glaubt, daß sich Elias' Flammen=Wagen
Hernieder senken wird, um ihn, wie den,
Empor zu tragen. Selbst ein Henkersknecht
Erschrak und hielt, anstatt ihm neue Wunden
Zu schlagen, ihm die alten zu!   2790

Herodes
          Man soll
Ihn auf der Stelle tödten, und dem Volk
Ihn zeigen, wenn er todt ist! — Laß dann auch
Die Richter kommen und —

Joab
          Die Königin! (ab)

Herodes
Du, Titus, wirst an meiner Seite sitzen!
Auch ihre Mutter habe ich geladen,   2795
Damit es ihr nicht an der Zeugin fehlt.

Fünfte Scene
Aaron und die übrigen fünf Richter treten ein.
Alexandra und Salome folgen. Joab erscheint gleich
darauf

Alexandra
Mein König und mein Herr, sei mir gegrüßt!

Herodes

Ich danke Dir!

(Er setzt sich auf seinen Thron. Titus setzt sich ihm zur Seite
Die Richter setzen sich dann auf seinen Wink im Halbkreis ur
die Tafel)

Alexandra

(während dieß geschieht)

Vom Schicksal Mariamnens
Scheid' ich das meinige, und spare mich,
2800 Wie eine Fackel, für die Zukunft auf!

(sie setzt sich neben Salome)

Herodes

(zu den Richtern)

Ihr wißt, warum ich Euch berufen ließ!

Aaron

In tiefstem Schmerz erschienen wir vor Dir!

Herodes

Nicht zweifl' ich! Mir und meinem Hause seid
Ihr Alle eng befreundet und verwandt,
2805 Was mich trifft, trifft Euch mit! Euch wird es freu'
Wenn ihr die Königin, die — (er stockt) Schenkt mir da
Euch wird es freu'n, wenn Ihr sie nicht verdammer
Wenn ihr, anstatt nach Golgatha hinaus,
Zurück mir in das Haus sie schicken dürft,
2810 Doch werdet Ihr auch vor dem Aeußersten
Nicht muthlos zittern, wenn es nöthig wird,
Denn, wie Ihr Glück und Unglück mit mir theilt,
So theilt Ihr Schmach und Ehre auch mit mir.
Wohlan denn!

(Er giebt Joab ein Zeichen. Joab geht ab. Dann erscheint
wieder mit Mariamne. — Es entsteht eine lange Pause)

Herodes
Aaron!

Aaron

Königin! Uns ward
schweres Amt! Du stehst vor Deinen Richtern! 2815

Mariamne

meinen Richtern, ja, und auch vor Euch!

Aaron

ennst Du dies Gericht nicht an?

Mariamne

Ich sehe
höh'res hier! Wenn das auf Eure Fragen
Antwort mir gestattet, werd' ich reden,
schweigen werd' ich, wenn es sie verbeut! — 2820
ein Auge sieht Euch kaum! Denn hinter Euch
eh'n Geister, die mich stumm und ernst betrachten,
sind die großen Ahnen meines Stamms.
ei Nächte sah ich sie bereits im Traum,
n kommen sie bei Tage auch, und wohl 2825
enn' ich, was es heißt, daß sich der Reigen
Todten schon für mich geöffnet hat
daß, was lebt und athmet, mir erbleicht.
rt, hinter jenem Thron, auf dem ein König
sitzen scheint, steht Judas Maccabäus: 2830
Held der Helden, blicke nicht so finster
f mich herab, Du sollst mit mir zufrieden sein!

Alexandra

nicht zu trotzig, Mariamne!

Mariamne

Mutter!
b' wohl! — (zu Aaron) Weswegen bin ich hier
verklagt?

Aaron

habest Deinen König und Gemahl 2835
trogen — (zu Herodes) Nicht?

Mariamne

Betrogen? Wie? Unmöglich!
Hat er mich nicht gefunden, wie er mich
Zu finden dachte? Nicht bei Tanz und Spiel?
Zog ich, als ich von seinem Tode hörte,
2840 Die Trauerkleider an? Vergoß ich Thränen?
Zerrauft' ich mir das Haar? Dann hätt' ich ihn
Betrogen, doch ich hab' es nicht gethan
Und kann es darthun. Salome, sprich Du!

Herodes

Ich fand sie, wie sie sagt. Sie braucht sich nicht
2845 Nach einem andern Zeugen umzuseh'n.
Doch niemals, niemals hätte ich's gedacht!

Mariamne

Niemals gedacht? Und doch verlarvt den Henker
Dicht hinter mich gestellt? Das kann nicht sein!
Wie ich bei'm Scheiden stand vor seinem Geist,
2850 So hat er mich bei'm Wiederseh'n gefunden,
D'rum muß ich läugnen, daß ich ihn betrog!

Herodes
(in ein wildes Gelächter ausbrechend)

Sie hat mich nicht betrogen, weil sie Nichts
Gethan, als was das Vorgefühl, die Ahnung,
Wie preis' ich sie, die düst're Warnerin!
2855 Mich fürchten ließ — (zu Mariamne) Weib! Weib! Di[e]
steht Dir a[n]

Doch baue nicht zu fest darauf, daß ich
Mit Glück und Ruhe auch die Kraft verlor,
Mir blieb vielleicht ein Rest noch für die Rache,
Und — schon als Knabe schoß ich einem Vogel
2860 Stets einen Pfeil nach, wenn er mir entflog.

Mariamne

Sprich nicht von Vorgefühl und Ahnung, sprich
Von Furcht allein! Du zittertest vor dem,
Was Du verdientest! Das ist Menschen-Art!

Du kannst der Schwester nicht mehr trau'n, seit Du
Den Bruder tödtetest, Du hast das Aergste 2865
Mir zugefügt und glaubst nun, daß ich's Dir
Erwiedern, ja, Dich überbieten muß!
Wie, oder hast Du stets, wenn Du dem Tod
In ehrlich=off'nem Krieg entgegen zogst,
Den Henker hinter mich gestellt? Du schweigst! 2870
Wohlan denn! Da Du's selbst so tief empfindest,
Was sich für mich geziemt, da Deine Furcht
Mich über meine Pflicht belehrt, so will
Ich endlich diese heil'ge Pflicht erfüllen,
D'rum scheid' ich mich auf ewig von Dir ab! 2875

Herodes
Antwort! Bekennst Du? Oder thust Du's nicht?

Mariamne
(schweigt)

Herodes
(zu den Richtern)
Ihr seht, das Eingeständniß fehlt! Und auch
Beweise hab' ich nicht, wie Ihr sie braucht!
Doch habt Ihr einmal einen Mörder schon
Zum Tod verdammt, weil des Erschlag'nen Kleinod 2880
Sich bei ihm fand. Es half ihm Nichts, daß er
Auf seine wohl gewasch'nen Hände wies,
Und Nichts, daß er Euch schwur, der Todte habe
Es ihm geschenkt: Ihr ließt den Spruch vollzieh'n!
Wohlan! So steht's auch hier! Sie hat ein Kleinod, 2885
Das mir bezeugt, unwidersprechlicher,
Wie's irgend eine Menschenzunge könnte,
Daß sie den Gräul der Gräul an mir beging.
Ein Wunder hätt' nicht bloß gescheh'n, es hätte
Sich wiederholen müssen, wär' es anders, 2890
Und Wunder wiederholten sich noch nie!

Mariamne
(macht eine Bewegung)

Herodes

Zwar wird sie sprechen, wie der Mörder sprach:
Man habe ihr's geschenkt! Auch darf sie's wagen,
Denn, wie ein Wald, ist eine Kammer stumm.
2895 Doch, wäret Ihr versucht, ihr das zu glauben,
So setz' ich Euch mein innerstes Gefühl
Und die Ergründung aller Möglichkeiten
Entgegen, und verlange ihren Tod.
Ja, ihren Tod! Ich will den Kelch des Ekels
2900 Nicht leeren, den der Trotz mir beut, ich will
Nicht Tag für Tag mich mit dem Räthsel quälen,
Ob solch ein Trotz das widerwärtigste
Gesicht der Unschuld, ob die frechste Larve
Der Sünde ist, ich will mich aus dem Wirbel
2905 Von Haß und Liebe, eh' er mich erstickt,
Erretten, kost' es, was es kosten mag!
Darum hinweg mit ihr! — Ihr zögert noch?
Es bleibt dabei! — Wie? Oder traf ich's nicht?
Sprecht Ihr! Ich weiß, das Schweigen ist an mir!
2910 Doch sprecht! Sprecht! Sitzt nicht da, wie Salomo
Zwischen den Müttern mit den beiden Kindern!
Der Fall ist klar! Ihr braucht nicht mehr zum Spruch,
Als was Ihr seht! Ein Weib, das dasteh'n kann,
Wie sie, verdient den Tod, und wär' sie rein
2915 Von jeder Schuld! Ihr sprecht noch immer nicht?
Wollt Ihr vielleicht erst den Beweis, wie fest
Ich überzeugt bin, daß sie mich betrog?
Den geb' ich Euch durch des Soemus Kopf,
Und das sogleich! (er geht auf Joab zu)

Titus
(erhebt sich)
           Dieß nenn' ich kein Gericht!
2920 Verzeih! (er will gehen)

Mariamne
Bleib, Römer, ich erkenn' es an!
Wer will's verwerfen, wenn ich selber nicht!

Titus
(setzt sich wieder)

Alexandra
(steht auf)

Mariamne
(tritt zu ihr heran, halb laut)

Du hast viel Leid mir zugefügt, Du hast
Nach meinem Glück das Deine nie gemessen!
Soll ich es Dir verzeih'n, so schweige jetzt!
Du änderst Nichts, mein Entschluß ist gefaßt. 2925

Alexandra
(setzt sich wieder)

Mariamne

Nun, Richter?

Aaron
(zu den Uebrigen)

Wer von Euch den Spruch des Königs
Nicht für gerecht hält, der erhebe sich!
(Alle bleiben sitzen)
So habt Ihr Alle auf den Tod erkannt!
(er steht auf)
Du bist zum Tod verurtheilt, Königin! —
Hast Du noch was zu sagen? 2930

Mariamne
Wenn der Henker
Nicht zum Voraus bestellt ist und auf mich
Schon wartet mit dem Beil, so mögte ich
Vor'm Tode noch mit Titus ein Gespräch.
(zu Herodes)
Man pflegt den Sterbenden die letzte Bitte
Nicht abzuschlagen. Wenn Du sie gewährst, 2935
So sei mein Leben Deinem zugelegt!

Herodes

Der Henker ist noch nicht bestellt — ich kann's!
Und da Du mir dafür die Ewigkeit
Als Lohn versprichst, so muß und will ich auch!

(zu Titus)

2940 Ist dieses Weib nicht fürchterlich?

Titus

Sie steht

Vor einem Mann, wie Keine stehen darf!
D'rum endige!

Salome

(tritt heran)

O thu es!   Deine Mutter

Ist krank bis auf den Tod!   Sie wird gesund,
Wenn sie das noch erlebt!

Herodes

(zu Alexandra)

Sprachst Du nicht was?

Alexandra

2945 Nein!

Herodes

(sieht Mariamnen lange an)

Mariamne

(bleibt stumm)

Herodes

Stirb!   (zu Joab) Ich leg's in Deine Hand
(schnell ab.   Ihm folgt Salome)

Alexandra

(ihm nachsehend)

Ich habe

Noch einen Pfeil für Dich!   (zu Mariamne)   Du woll
test's so

Mariamne

Ich danke Dir!

Alexandra

(ab)

Aaron

(zu den übrigen Richtern)

Versuchen wir nicht noch,
Ihn zu erweichen? Mir ist dieß entsetzlich!
Es ist die letzte Maccabäerin!
Wenn wir nur kurzen Aufschub erst erlangten!
Jetzt ging's nicht an, daß wir ihm widerstrebten,   2950
Bald wird er selbst ein And'rer wieder sein.
Und möglich ist's, daß er uns dann bestraft,
Weil wir ihm heut' nicht Widerstand gethan!
Ihm nach! (ab)   2955

Joab

(nähert sich Mariamnen)

Vergiebst Du mir? Ich muß gehorchen!

Mariamne

Thu, was Dein Herr gebot, und thu es schnell!
Ich bin bereit, sobald Du selbst es bist,
Und Königinnen, weißt Du, warten nicht!
(Joab ab)

Sechste Scene

Mariamne

(tritt zu Titus)

Nun noch ein Wort vor'm Schlafengeh'n, indeß
Mein letzter Kämm'rer mir das Bette macht!   2960
Du staunst, ich seh' es, daß ich dieses Wort
an Dich, und nicht an meine Mutter, richte,
Allein sie steht mir fern und ist mir fremd.

H.U.M.—6*

Titus

Ich staune, daß ein Weib mich lehren soll,
2965 Wie ich als Mann dereinst zu sterben habe!
Ja, Königin, unheimlich ist Dein Thun
Und, ich verhehl's nicht, selbst Dein Wesen mir,
Allein ich muß den Heldensinn verehren,
Der Dich vom Leben scheiden läßt, als schiene
2970 Die schöne Welt Dir auf dem letzten Gang
Nicht einmal mehr des flücht'gen Umblicks werth,
Und dieser Muth versöhnt mich fast mit Dir!

Mariamne

Es ist kein Muth!

Titus

Zwar hat man mir gesagt,
Daß Eure finstern Pharisäer lehren,
2975 Im Tode geh' das Leben erst recht an,
Und daß, wer ihnen glaubt, die Welt verachtet,
In welcher nur die Sonne ewig leuchtet
Und alles Uebrige in Nacht verlischt!

Mariamne

Ich hörte nie auf sie und glaub' es nicht!
2980 O nein, ich weiß, wovon ich scheiden soll!

Titus

Dann stehst du da, wie Cäsar selber kaum,
Als ihm von Brutus' Hand der Dolchstoß kam,
Denn er, zu stolz, um seinen Schmerz zu zeigen,
Und doch nicht stark genug, ihn zu ersticken,
2985 Verhüllte fallend sich das Angesicht;
Du aber hältst ihn in der Brust zurück!

Mariamne

Nicht mehr! Nicht mehr! Es ist nicht, wie Du denkst,
Ich fühle keinen Schmerz mehr, denn zum Schmerz
Gehört noch Leben, und das Leben ist
2990 In mir erloschen, ich bin längst nur noch
Ein Mittelding vom Menschen und vom Schatten

Und faff' es kaum, daß ich noch fterben kann.
Vernimm jetzt, was ich Dir vertrauen will,
Doch erft gelobe mir als Mann und Römer,
Daß Du's verfchweigft, bis ich hinunter bin, 2995
Und daß Du mich geleiteft, wenn ich geh'.
Du zögerft? Fod're ich zu viel von Dir?
Es ift des Strauchelns wegen nicht! Und ob
Du fpäter reden, ob Du fchweigen willft,
Entfcheide felbft. Ich binde Dich in Nichts 3000
Und halte meinen Wunfch fogar zurück.
Dich aber hab' ich darum auserwählt,
Weil Du fchon immer, wie ein eh'rnes Bild
In eine Feuersbrunft, gelaffen=kalt
Hinein gefchaut in unf're Hölle haft. 3005
Dir muß man glauben, wenn Du Zeugniß giebft,
Wir find für Dich ein anderes Gefchlecht,
In das kein Band Dich knüpft, Du fprichft von uns,
Wie wir von fremden Pflanzen und von Steinen,
Partheilos, ohne Liebe, ohne Haß! 3010

Titus

Du gehft zu weit!

Mariamne

Verweigerft Du mir jetzt,
Zu ftarr, Dein Wort, fo nehm' ich mein Geheimniß
Mit mir in's Grab und muß den letzten Troft
Entbehren, den, daß Eines Menfchen Bruft
Mein Bild doch rein und unbefleckt bewahrt, 3015
Und daß er, wenn der Haß fein Aergftes wagt,
Den Schleier, der es deckt, aus Pflichtgefühl
Und Ehrfurcht vor der Wahrheit heben kann!

Titus

Wohl! Ich gelob' es Dir!

Mariamne

So wiffe denn,
Daß ich Herodes zwar betrog, doch anders, 3020
Ganz anders, als er wähnt! Ich war ihm treu,

Wie er sich selbst. Was schmäh' ich mich? Viel treuer,
Er ist ja längst ein And'rer, als er war.
Soll ich das erst betheuern? Eher noch
3025 Entschließ' ich mich, zu schwören, daß ich Augen
Und Händ' und Füße habe. Diese könnt' ich
Verlieren, und ich wär' noch, was ich bin,
Doch Herz und Seele nicht!

Titus
       Ich glaube Dir

Und werde —

Mariamne
      Halten, was Du mir versprachst!
3030 Ich zweifle nicht! Nun frag' Dich, was ich fühlte,
Als er zum zweiten Mal, denn einmal hatte
Ich's ihm verzieh'n, mich unter's Schwert gestellt,
Als ich mir sagen mußte: eher gleicht
Dein Schatten Dir, als das verzerrte Bild,
3035 Das er im tiefsten Innern von Dir trägt!
Das hielt ich nicht mehr aus, und konnt' ich's denn?
Ich griff zu meinem Dolch, und, abgehalten
Vom rasch versuchten Selbstmord, schwur ich ihm:
Du willst im Tode meinen Henker machen?
3040 Du sollst mein Henker werden, doch im Leben!
Du sollst das Weib, das Du erblicktest, tödten
Und erst im Tod mich sehen, wie ich bin! —
Du warst auf meinem Fest. Nun: Eine Larve
Hat dort getanzt!

Titus
Ha!

Mariamne
       Eine Larve stand
3045 Heut' vor Gericht, für eine Larve wird
Das Beil geschliffen, doch es trifft mich selbst!

Titus
Ich steh' erschüttert, Königin, auch zeih' ich
Dich nicht des Unrechts, doch ich muß Dir sagen:

Du haft mich selbst getäuscht, Du haft mich so
Mit Grau'n und Abscheu durch Dein Fest erfüllt, 3050
Wie jetzt mit schaudernder Bewunderung.
Und, wenn das mir geschah, wie hätte ihm
Der Schein Dein Wesen nicht verdunkeln sollen,
Ihm, dessen Herz, von Leidenschaft bewegt,
So wenig, wie ein aufgewühlter Strom, 3055
Die Dinge spiegeln konnte, wie sie sind.
D'rum fühl' ich tiefes Mitleid auch mit ihm
Und Deine Rache finde ich zu streng!

Mariamne

Auf meine eig'nen Kosten nehm' ich sie!
Und daß es nicht des Lebens wegen war, 3060
Wenn mich der Tod des Opferthiers empörte,
Das zeige ich, ich werf' das Leben weg!

Titus

Gieb mir mein Wort zurück!

Mariamne

Und wenn Du's brächest,
Du würdest Nichts mehr ändern.   Sterben kann
Ein Mensch den andern lassen; fort zu leben, 3065
Zwingt auch der Mächtigste den Schwächsten nicht.
Und ich bin müde, ich beneide schon
Den Stein, und wenn's der Zweck des Lebens ist,
Daß man es hassen und den ew'gen Tod
Ihm vorzieh'n lernen soll, so wurde er 3070
In mir erreicht. O, daß man aus Granit, *Her ashes to be*
Aus nie zerbröckelndem, den Sarg mir höhlte *removed from*
Und in des Meeres Abgrund ihn versenkte, *earth's surface as if*
Damit sogar mein Staub den Elementen *she had never been*
Für alle Ewigkeit entzogen sei! 3075

Titus

Wir leben aber in der Welt des Scheins!

Mariamne

Das seh' ich jetzt, d'rum gehe ich hinaus!

M. Chooses own fate

Titus

Ich selbst, ich habe gegen Dich gezeugt!

Mariamne

Damit Du's thätest, lud ich Dich zum Fest!

Titus

3080 Wenn ich ihm sagte, was Du mir gesagt —

Mariamne

So riefe er mich um, ich zweifle nicht!
Und folgte ich, so würde mir der Lohn,
Daß ich vor einem Jeden, der mir nahte,
Von jetzt an schaudern und mir sagen müßte:
3085 Hab' Acht, das kann Dein dritter Henker sein!
Nein, Titus, nein, ich habe nicht gespielt,
Für mich giebt's keinen Rückweg. Gäb' es den,
Glaubst Du, ich hätt' ihn nicht entdeckt, als ich
Von meinen Kindern ew'gen Abschied nahm?
3090 Wenn Nichts, als Trotz mich triebe, wie er meint,
Der Schmerz der Unschuld hätt' den Trotz gebrochen
Jetzt machte er nur bitt'rer mir den Tod!

Titus

O, fühlt' er das, und käm' von selbst, und würfe
Sich Dir zu Füßen!

Mariamne

Ja! Dann hätte er
3095 Den Dämon überwunden, und ich könnte
Ihm Alles sagen! Denn ich sollte nicht
Unwürdig mit ihm markten um ein Leben,
Das durch den Preis, um den ich's kaufen kann,
Für mich den letzten Werth verlieren muß,
3100 Ich sollte ihn für seinen Sieg belohnen,
Und, glaube mir, ich könnt' es!

Titus

Ahnst Du Nichts,
Herodes?

Joab
(tritt geräuschlos ein und bleibt schweigend stehen)

Mariamne
Nein! Du siehst, er schickt mir den!
(deutet auf Joab)

Titus
Laß mich —

Mariamne
Hast Du mich nicht verstanden, Titus?
Ist es in Deinen Augen noch der Trotz,
Der mir den Mund verschloß? Kann ich noch leben? 3105
Kann ich mit Dem noch leben, der in mir
Nicht einmal Gottes Ebenbild mehr ehrt?
Und, wenn ich dadurch, daß ich schwieg, den Tod
Herauf beschwören und ihn waffnen konnte,
Sollt' ich mein Schweigen brechen? Sollt' ich erst   3110
Den einen Dolch vertauschen mit dem andern?
Und wär' es mehr gewesen?

Titus
         Sie hat recht!

Mariamne
(zu Joab)
Bist Du bereit?

Joab
(verneigt sich)

Mariamne
(gegen Herodes' Gemächer)
        Herodes, lebe wohl!
(gegen die Erde)
Du, Aristobolus, sei mir gegrüßt!
Gleich bin ich bei Dir in der ew'gen Nacht!   3115
(Sie schreitet auf die Thür zu. Joab öffnet. Man sieht Bewaffnete,
die ehrerbietig Reihen bilden. Sie geht hinaus. Titus folgt ihr.
Joab schließt sich an. Feierliche Pause)

Siebente Scene

Salome
(tritt ein)

Sie ging! Und dennoch schlägt das Herz mir nicht!
Ein Zeichen mehr, daß sie ihr Loos verdient.
So hab' ich endlich meinen Bruder wieder
Und meine Mutter ihren Sohn! Wohl mir,
3120 Daß ich nicht von ihm wich. Die Richter hätten
Ihn sonst noch umgestimmt. Nein, Aaron, nein,
Nichts von Gefangenschaft! Im Kerker bliebe
Sie keinen Mond. Das Grab nur hält sie fest,
Denn nur zum Grabe hat er keinen Schlüssel.

Achte Scene

Ein Diener
(tritt ein)

3125 Drei Kön'ge aus dem Morgenland sind da,
Mit köstlichen Geschenken reich beladen,
Sie kommen an in diesem Augenblick,
Und nie noch sah man fremdere Gestalten
Und wundersam're Trachten hier, wie die!

Salome

3130 Führ' sie herein! (Diener ab) Die meld' ich ihm sogleich.
Solange die bei ihm sind, denkt er nicht
An sie! Und bald ist Alles aus mit ihr!
(sie geht zu Herodes hinein)

(Der Diener führt die drei Könige herein. Sie sind fremdartig
gekleidet und so, daß sie sich in Allem von einander unterscheiden.
Ein reiches Gefolge, von dem dasselbe gilt, begleitet sie. Gold,
Weihrauch und Myrrhen. Herodes tritt mit Salome gleich
nachher ein)

Erster König
Heil, König, Dir!

Zweiter König
Gesegnet ist Dein Haus!

Dritter König
ebenedeit in alle Ewigkeit!

Herodes
h dank' Euch! Doch für diese Stunde dünkt   3135
er Gruß mir seltsam!

Erster König
     Ward Dir nicht ein Sohn
eboren?

Herodes
  Mir? O nein! Mir starb mein Weib!

Erster König
ist hier unsers Bleibens nicht!

Zweiter König
        So giebt's
er einen zweiten König noch!

Herodes
      Dann gäbe
keinen hier.   3140

Dritter König
   So giebt's hier außer Deinem
ch einen zweiten königlichen Stamm!

Herodes
rum?

Erster König
  So ist es!

Zweiter König
    Ja, so muß es sein!

Herodes
h davon weiß ich Nichts!

Salome
(zu Herodes)

In Bethlehem
Hat sich vom Stamme Davids noch ein Zweig
3145 Erhalten!

Dritter König
David war ein König?

Herodes

Ja!

Erster König
So ziehen wir nach Bethlehem hinab!

Salome
(fährt fort zu Herodes)
Allein er pflanzt sich nur in Bettlern fort!

Herodes
Das glaub' ich! Sonst —

Salome
Ich sprach einst eine Jungfrau
Aus Davids Haus, Maria, glaub' ich, hieß sie,
3150 Die fand ich schön genug für ihre Abkunft,
Doch war sie einem Zimmermann verlobt
Und schlug die Augen gegen mich kaum auf,
Als ich sie nach dem Namen fragte!

Herodes

Hört Ihr's?

Zweiter König
Gleichviel! Wir geh'n!

Herodes
Ihr werdet mir doch erst
3155 Verkünden, was Euch hergeführt?

Erster König
Die Ehrfurcht
Vor'm König aller Könige!

Zweiter König
Der Wunsch,
Ihm noch vor'm Tod in's Angesicht zu schau'n!

Dritter König
Die heil'ge Pflicht, ihm huldigend zu Füßen
Zu legen, was auf Erden kostbar ist!

Herodes
Wer aber sagte Euch von ihm?   3160

Erster König
Sein Stern!
Wir zogen nicht zusammen aus, wir wußten
Nichts von einander, uns're Reiche liegen
Im Osten und im Westen, Meere fließen
Dazwischen, hohe Berge scheiden sie —

Zweiter König
Doch hatten wir denselben Stern geseh'n,   3165
Es hatte uns derselbe Trieb erfaßt,
Wir wandelten denselben Weg und trafen
Zuletzt zusammen an demselben Ziel —

Dritter König
Und ob des Königs, ob des Bettlers Sohn,
Das Kind, dem dieser Stern in's Leben leuchtet,   3170
Wird hoch erhöhet werden, und auf Erden
Kein Mensch mehr athmen, der sich ihm nicht beugt!

Herodes
(für sich)
So spricht das alte Buch ja auch! (laut) Darf ich
Nach Bethlehem Euch einen Führer geben?

Erster König
(deutet gen Himmel)

3175 Wir haben einen!

Herodes
Wohl! — Wenn Ihr das Kind
Entdeckt, so werdet Ihr es mir doch melden,
Damit ich es, wie Ihr, verehren kann?

Erster König
Wir werden's thun! Nun fort! nach Bethlehem!
(Die drei Könige mit ihrem Gefolge ab)

Herodes
Sie werden's nicht thun!

Joab und Titus treten auf. Alexandra folgt ihne

Herodes
Ha!

Joab
Es ist vollbracht!

Herodes
(bedeckt sich das Gesicht)

Titus
3180 Sie starb. Ja wohl. Ich aber habe jetzt
Ein noch viel fürchterlicheres Geschäft,
Als der, der Deinen blut'gen Spruch vollzog:
Ich muß Dir sagen, daß sie schuldlos war.

Herodes
Nein, Titus, nein!

Titus
(will sprechen)

Herodes
(tritt dicht vor ihn hin)
Denn, wäre das, so hättest
3185 Du sie nicht sterben lassen.

Titus

Niemand konnte
Das hindern, als Du selbst! — Es thut mir weh',
Daß ich Dir mehr, als Henker, werden muß,
Doch, wenn es heil'ge Pflicht ist, einen Todten,
Wer er auch immer sein mag, zu bestatten,
So ist die Pflicht noch heil'ger, ihn von Schmach   3190
Zu reinigen, wenn er sie nicht verdient,
Und diese Pflicht gebeut mir jetzt allein!

Herodes

Ich seh' aus Allem, was Du sprichst, nur Eins:
Ihr Zauber war ihr selbst im Tode treu!
Was groll' ich dem Soemus noch! Wie sollt' er   3195
Der Blendenden im Leben widersteh'n!
Dich hat sie im Erlöschen noch entflammt!

Titus

Geht Eifersucht selbst über's Grab hinaus?

Herodes

Wenn ich mich täuschte, wenn aus Deinem Mund
Jetzt etwas And'res, als ein Mitleid spräche,   3200
Das viel zu tief ist, um nicht mehr zu sein:
Dann müßt' ich Dich doch mahnen, daß Dein Zeugniß
Sie mit verdammen half, und daß es Pflicht
Für Dich gewesen wäre, mich zu warnen,
Sobald Dir nur der kleinste Zweifel kam!   3205

Titus

Mich hielt mein Wort zurück und mehr, als das:
Die unerbittliche Nothwendigkeit.
Wär' ich nur einen Schritt von ihr gewichen,
So hätte sie sich selbst den Tod gegeben,
Ich sah den Dolch auf ihrer Brust versteckt,   3210
Und mehr als einmal zuckte ihre Hand.

(Pause)

Sie wollte sterben, und sie mußte auch!
Sie hat so viel gelitten und verzieh'n,

Als sie zu leiden, zu verzeih'n vermogte:
3215 Ich habe in ihr Innerstes geschaut.
Wer mehr verlangt, der hab're nicht mit ihr,
Er hab're einzig mit den Elementen,
Die sich nun einmal so in ihr gemischt,
Daß sie nicht weiter konnte.   Doch er zeige
3220 Mir auch das Weib, das weiter kam, als sie!

Herodes
(macht eine Bewegung)

Titus

Sie wollte ihren Tod von Dir und rief
Das wüste Traumbild Deiner Eifersucht,
Selbstmörd'risch gaukelnd und uns Alle täuschend,
Auf ihrem Feste in ein trüg'risch Sein.
3225 Das fand ich streng, nicht ungerecht.   Sie trat
Als Larve vor Dich hin, die Larve sollte
Dich reizen, mit dem Schwert nach ihr zu stoßen.
(er zeigt auf Joab)
Das thatest Du, und tödtetest sie selbst!

Herodes
So sprach sie.   Doch sie sprach aus Rache so!

Titus
3230 So war's.   Ich habe gegen sie gezeugt,
Wie gerne mögt' ich zweifeln!

Herodes
Und Soemus?
Titus
Ich bin ihm auf dem Todesweg begegnet,
Er trat den seinen an, als sie den ihren
Vollendet hatte, und ihm schien's ein Trost,
3235 Daß sich sein Blut mit ihrem mischen würde,
Wenn auch nur auf dem Block durch Henkers Hand.
Herodes
Ha!   Siehst Du?

Titus

Was?   Vielleicht hat er im Stillen
Für sie geglüht.   Doch, wenn das Sünde war,
So war's die seinige, die ihre nicht.
Er rief mir zu: jetzt sterb' ich, weil ich sprach,   3240
Sonst müßt' ich sterben, weil ich sprechen könnte,
Denn das war Josephs Loos!   Der schwur mir noch
Im Tode, daß er schuldlos sei, wie ich!
Das merkt' ich mir!

Herodes
(ausbrechend)

Joseph!   Rächt der sich auch?
Thut sich die Erde auf?   Geh'n alle Todten   3245
Hervor?

Alexandra
(tritt vor ihn hin)

Das thun sie? — Nein doch! Fürchte Nichts!
Es giebt schon Eine, welche d'runten bleibt!

Herodes

Verfluchte! (er bezwingt sich)
Sei's so!   Wenn denn auch Soemus
Nur Ein Verbrechen gegen mich beging —
(er kehrt sich gegen Salome)
Joseph, der ihn mit diesem schnöden Argwohn   3250
Erfüllte, Joseph hat ihn noch im Tode
Belogen, nicht?   Joseph — Was schweigst Du jetzt?

Salome

Auf Schritt und Tritt verfolgt' er sie —

Alexandra
(zu Herodes)

Ja wohl!
Doch sicher nur, um die Gelegenheit
Zu finden, Deinen Auftrag zu vollzieh'n,   3255
Um sie und mich zu tödten —

Herodes

Ist das wahr?

(zu Salome)

Und Du?   Du? —

Alexandra

In derselben Stunde fast,
Wo er die Maske völlig fallen ließ,
Hat Mariamne einen Schwur gethan,
3260 Sich selbst, wenn Du nicht wiederkehren solltest,
Den Tod zu geben.   Ich verhehl' es nicht,
Daß ich sie darum haßte!

Herodes

Fürchterlich!
Und das — das sagst Du jetzt erst?

Alexandra

Ja!

Titus

Ich weiß
Es auch, es war ihr letztes Wort zu mir,
3265 Doch tausend Jahre hätt' ich's Dir verschwiegen,
Ich wollte sie nur rein'gen, Dich nicht martern!

Herodes

Dann — (die Stimme versagt ihm)

Titus

Fasse Dich!   Es trifft mich mit!

Herodes

Ja wohl!
Dich — die (gegen Salome) — und Jeden, welcher hier,
wie ich,
Des tück'schen Schicksals blindes Werkzeug war,

Doch ich allein verlor, was man auf Erden 3270
in Ewigkeit nicht wiedersehen wird!
Verlor? O! O!

Alexandra

Ha, Aristobolus!
Du bist gerächt, mein Sohn, und ich in Dir!

Herodes

Du triumphirst? Du glaubst, ich werde jetzt
zusammen brechen? Nein, das werd' ich nicht! 3275
Ich bin ein König, und ich will's die Welt
(er macht eine Bewegung, als ob er etwas zerbräche)
empfinden lassen! — Auf jetzt, Pharisäer,
empört Euch gegen mich! (zu Salome) Und Du, was
weichst Du
Schon jetzt vor mir? Noch hab' ich wohl kein and'res
Gesicht, allein schon morgen kann's gescheh'n 3280
Daß meine eig'ne Mutter schwören muß,
ich sei ihr Sohn nicht! —
(nach einer Pause, dumpf)
Wäre meine Krone
Mit allen Sternen, die am Himmel flammen,
Besetzt: für Mariamne gäbe ich
sie hin und, hätt' ich ihn, den Erdball mit. 3285
Ja, könnte ich sie dadurch, daß ich selbst,
lebendig, wie ich bin, in's Grab mich legte,
erlösen aus dem ihrigen: ich thät's,
ich grübe mich mit eig'nen Händen ein!
Allein ich kann's nicht! Darum bleib' ich noch 3290
und halte fest, was ich noch hab'! Das ist
nicht viel, doch eine Krone ist darunter,
die jetzt an Weibes Statt mir gelten soll,
und wer nach der mir greift — — Das thut man ja,
ein Knabe thut das ja, der Wunderknabe, 3295
den die Propheten längst verkündet haben,
und dem jetzt gar ein Stern in's Leben leuchtet,
Doch, Schicksal, Du verrechnetest Dich sehr,

Wenn Du, indem Du mich mit eh'rnem Fuß
3300 Zertratest, ihm die Bahn zu ebnen glaubtest,
Ich bin Soldat, ich kämpfe selbst mit Dir,
Und beiß' Dich noch im Liegen in die Ferse!

(rasch)

Joab!

Joab
(tritt heran)

Herodes
(verhalten)

Du ziehst nach Bethlehem hinab
Und sagst dem Hauptmann, welcher dort befiehlt:
3305 Er soll den Wunderknaben — Doch, er findet
Ihn nicht heraus, nicht Jeder sieht den Stern,
Und diese Kön'ge sind so falsch, als fromm —
Er soll die Kinder, die im letzten Jahr
Geboren wurden, auf der Stelle tödten,
3310 Es darf nicht ein's am Leben bleiben!

Joab
(tritt zurück)

Wo

(für sich)
Ich weiß warum!   Doch Moses ward gerettet,
Trotz Pharao!

Herodes
(noch laut und stark)
Ich sehe morgen nach! —

Heut' muß ich Mariamne — (er bricht zusammen) Titu

Titus
(fängt ihn auf)

FINIS

NOTE ON THE TEXT

'HE text here printed follows that in the critical edition of
lebbel's works, by R. M. Werner (*Friedrich Hebbel: Sämtliche
Verke.* Historisch-kritische Ausgabe, 2ᵗᵉ Auflage, Berlin, 1904 ff.,
ᵗᵉ Abteilung, vol. ii, pp. 195 ff.). Werner's text was based on
ie only edition of the play which appeared in Hebbel's lifetime
larl Gerold, Vienna, 1850), and collated with the MSS. in the
oethe-Schiller-Archiv in Weimar (H¹, written in Hebbel's own
and, and H², a revised copy of H¹, partly in Hebbel's hand, partly
ι that of a copyist, with Hebbel's own corrections). Since in
resent circumstances it is not possible to have access to the
ΣSS. or to the original edition, Werner's text has been followed
ιroughout, and any MS. readings referred to are cited from his
st of variant readings.

Two other MSS., both intended for the performance at the
ιurgtheater on April 19, 1849 (one a theatre MS., the other a
ompt copy) and showing the cuts that were made in the
ιeatre version, are listed by Werner (*ed. cit.*, vol. ii, p. 414).

Act I was published separately in H. Th. Rötscher's *Jahrbücher
r dramatische Kunst und Literatur* for 1849.

ΟNDON, 1943.

NOTES

[The numbers prefixed to the notes refer to the lines of the text.]

ACT I

10 ff. This detail of Herod's rule is recorded by Josephus in the *Antiquities of the Jews* (Bk. XV, ch. x) : ". . . it is reported . . . that he would often himself put on the dress of a private man, and mix among the multitude in the night-time, and so find out what opinion they had of his government."

14–16. These lines were twice revised ; the first form :

> Man fah, da Alles ſchon in Flammen ſtand,
> Ein Weib im . . . Glut. Ward ſie gerettet?

was altered to :

> Man ſah, als ſchon das Haus in Flammen ſtand,
> Ein Frauenbild [in all der] in der Glut. Ward ſie gerettet?

and finally to the present version, with the vivid detail of „betäubt" and the emphatic „dies Weib." The latter phrase occurs again in Herodes' account of the incident to Mariamne (l. 431) cp. a similar usage in ll. 29, 340, etc.

23. **ein Tod von ungefähr.** The indefinite article (altered by Hebbel in the MS. from „der") skilfully suggests the woman's search for any kind of death.

28. **doch erzählen.** Altered in the MS. from „gleich erzählen." The „doch" has more suggestion of internal argument and reveals the king's thought more plainly.

38–9. **Ich war die Zunge des Synedriums . . .** For the source of this allusion *v.* Appendix A. Cp. also the discussion between Sameas and Alexandra in Act II (ll. 673 ff.) where a much more vivid picture of the scene is given.

50–4. The emphatic repetition of „fürchten" is characteristic of Hebbel's style. Cp. the repetition of „Perlen" (ll. 305–7).

53–4. **bis zum Tode des Aristobolus.** This is the first allusion to the death of Mariamne's brother, an event of great significance for the whole action of the play (cp. *Introduction*, p. xxvii). For the relevant passage from the narrative of Josephus *v.* Appendix B.

55. **beut.** Hebbel uses here the older form (M.H.G. biutet) which survived in prose in the first half of the eighteenth century.

and in poetry much later. Cp. l. 2900 (also **verbeut** (l. 2820) and **gebeut** (l. 3192); cp. also *Genoveva*, Act II, l. 971).

59. **Die Knochen dieses Weibes sind verflucht.** According to the Talmud the funeral rites for a suicide were narrowly restricted. Herodes' abrupt „**Ein ander Mal**" brushes aside the objection.

70. **Du warst, als ich bei Euch die Räuber jagte.** For the account of Herodes' exploits to which this is an allusion *v.* Appendix C.

76. The first example of the dramatic irony so frequent in this play.

90. **um, wenn er fiele . . .** The interweaving of subordinate clauses is a characteristic feature of Hebbel's style (cp. ll. 112–14, 995–1002, 1072–9, 1549–54, 1659–62).

110 f. **dieser Mensch . . .** This aside expands the indication of Herodes' character in the first lines of the play.

116. **Antonius.** The friend and protégé of Julius Cæsar, and one of the Triumvirate, of which Octavianus and Lepidus were the other members. Further descriptions of Antony occur in ll. 1815 f. and 2245 ff.

122. **Oktav.** C. Julius Cæsar Octaviānus Augustus, commonly called Augustus. He defeated Antony and Cleopatra at the battle of Actium (31 B.C.). A further description of Octavianus occurs in ll. 1816 ff.

134 ff. This description was altered from Hebbel's original draft, where allusion was made chiefly to Antony's well-known habit of transacting business while drinking. The remainder of the description of the banqueting scene was also modified considerably, so that in the final form greater stress was laid on Antony's questions about Mariamne.

187. **Das war das Bild—Des Aristobolus.** Hebbel's source for the incident of the sending of the picture was Josephus. *v.* Appendix D. Cp. also ll. 834 f.

189. **durch Deine Schwiegermutter.** This reference is expanded in sc. 5 (ll. 536 ff.).

198. The freedom of accent in this line reflects Herodes' mood. For equally emphatic irregularities cp. ll. 310, 2925.

205. **gepackt.** Similarly "seized" can bear the two meanings.

249. The arrival of this warning is recorded by Alexandra in Act II, sc. 2 (ll. 915 f.).

255. **Dem Mann der Fabel.** It is perhaps relevant to this passage that Hebbel was much impressed at this time by Eastern legends, where such situations abound. Cp. *Tagebücher*, Sept. 22, 1847 (*ed. cit.*, iii, 4284), where he records the completion of a review of the *Indische Sagen*, translated by A. Holzmann (*v. Werke, ed. cit.*, vol. xi, pp. 197 ff.).

259. **Gleichviel.** A favourite word with Herodes in the early

scenes of the play, and characteristic of his obstinate determination to win through (cp. ll. 389, 504).

264. A significant line for the understanding of Herodes' resolve in sc. 4.

286 ff. The idea underlying this passage found expression in Hebbel's diary on two occasions; v. entries on March 25, 1844, and Aug. 29, 1844 (*Tagebücher, ed. cit.*, ii, 3070 and 3222). Cp. also Graf Bertram in *Julia* (Act I, sc. 6): „Nichts, als die Hoffnung, daß es vielleicht noch irgendwo ein Loch in der Welt giebt, wo ein Kerl, wie Du, der nur noch Ding ist, hingestopft werden kann, wie ein Fetzen in einen Fenster-Riß; Nichts, als ein Nachspringen in's Wasser, wenn ein Trunkenbold hinein fiel, um ihn zu retten . . ."

300. **Ich sag ihm Nichts.** Yet Mariamne's feeling for Herodes impels her to break this resolution later in their conversation (l. 355).

323. **Schon hoch genug in ihrer Schuld.** "Sufficiently in her black books" (debt ledgers). Cp. "deep enough in debt to her" for a similar ambiguity. „Schuld" clearly means here a debt implying guilt rather than an obligation of gratitude. (Cp. „in der Schuld sein" = in arrears.)

376 ff. **Wenn eine Ruth . . .** The contrast in character here suggested throws the emphasis for the first time on Mariamne as the daughter of the Maccabees. This *motif* recurs at intervals (cp. ll. 1006, 1163, 1220 f., 1231, 1527, 2821 ff., 2949).

402. **in dem Jugurtha starb.** The death—by starvation in a dungeon—of Jugurtha is related by Plutarch in his life of Caius Marius.

420. **ein Uebermaß von Liebe.** This phrase reveals a characteristic aspect of Hebbel's thought. The words „Maaßlosigkeit", „Übermaß", „Überhebung", constantly recur in the course of his reflections on life and on drama. Cp. *Tagebücher, ed. cit.*, ii, 2578 July 29, 1842; ii, 3158, June 13, 1844; iii, 4225, Aug. 8, 1847.

428. This is the first clear statement of the motive of Mariamne's subsequent actions, and it is noteworthy that it is made in an aside (cp. *Introduction*, p. xxxiii). The idea is expanded for presentation to Herodes in ll. 433–5 and ll. 465–8.

437. **aufgewogen.** The verb occurs again in l. 1623. Note the unusual and vivid use of „mir" to express the relation of equivalence here.

445 ff. The emphasis on Mariamne's beauty and the suggestion of its tragic possibilities strike a note already struck in *Genoveva* (Act II, sc. 4), and again to sound in *Agnes Bernauer*. Cp. also *Tagebücher*, Sept. 30, 1851: „Längst hatte ich die Idee, auch die Schönheit einmal von der tragischen, den Untergang durch sich selbst bedingenden Seite darzustellen" (*ed. cit.*, iii, 4941). Josephus (*Antiquities*, Bk. XV, ch. ii and vii) alludes to Mariamne's great beauty.

446 f. **An die Unsterblichkeit . . . schmeicheln.** The belief of the

Pharisees in the immortality of the soul is stressed in an account of their doctrines in the *Antiquities* (Bk. XVIII, ch. i).

457 ff. Similar images occur in Hebbel's lyric poems ; cp. for instance :

> „Tiefes Verdämmern des Seins,
> Denkend Nichts, noch empfindend!
> Nichtig mir selber entschwindend,
> Schatte mit Schatten zu Eins!" (*An den Tod*)

or the last lines of *Erleuchtung* :

> „Du trinkst das allgemeinste Leben,
> Nicht mehr den Tropfen, der dir floß,
> Und in's Unendliche verschweben
> Kann leicht, wer es im Ich genoß."

Hebbel originally wrote (l. 457) :

> „Und in der Dämmer-Sphäre"

and (l. 459) :

> „Und, wie Du mit mir lächeltest und weintest,
> Mit mir zugleich in's Nichts auch zu verschweben:"

481. **Mein Wesen, wie Du's kennst.** The touch of dramatic irony heralds the first clash between Herodes and Mariamne ; Herodes shows by his misinterpretation in l. 486 that he does not truly know her nature.

487–97. These lines illustrate Hebbel's use of retrospective detail in the interests of characterization. Similarly the incidents hinted at in the unfinished sentences in ll. 500–4 cast light on the relationship between the two central characters.

507. **Ich stell' Dich unter's Schwert.** "I'll make the sword your gaoler." Cp. l. 667.

519 f. For the explanation of „vor ihr" cp. ll. 544 ff. and 568 ff.

520. **Schwäher.** Formerly used with the meaning "father-in-law" (M.H.G. swëher), now commonly replaced by Schwiegervater. It was sometimes used (as here) as the equivalent of Schwager. Cp. Goethe's use of the word in *Iphigenie* (Act III, sc. 1, l. 1011) and Hebbel's again in *Die Nibelungen* (*Siegfrieds Tod*, Act V, sc. 2, l. 2358 ; *Kriemhilds Rache*, Act I, sc. 2, l. 2946 ; Act II, sc. 1, l. 3439 ; Act IV, sc. 7, l. 4601). Hebbel found in the *Antiquities* Bk. XV, ch. iii) two references to Joseph ; the first names him as Herod's uncle (translated by Cotta, *ed. cit.*, p. 464, as „Vetter"), and the second as Salome's husband (Cotta, *ed. cit.*, p. 465, „wider ihren Mann, den Josephum"). That both references are to the same person is clear from the course of the narrative and in the *Jewish War*, Bk. I, ch. xxii, Joseph is referred to only

as Salome's husband). But Hebbel, writing to H. Th. Rötsche
in 1847, speaks only of Herod's charge to his „Oheim" (Brief
ed. cit., vol. iv, p. 73).

536. Cp. note to l. 189, on the allusion to the picture o
Aristobolus, which is here expanded ; v. also Appendix D.

539 ff. **Jhr Botenfenden an Cleopatra . . .** Joseph here plays th
roles played by the servant Æsop and by Alexandra's frien
Sabbion in the narrative of Josephus. v. Appendix E.

For variations in the metrical treatment of the proper nam
cp. ll. 830, 987, 1786, 2087, and ctr. ll. 315, 444, 2580.

599 f. The allusion is completed in Act II, sc. 4 (ll. 1134 ff.).

616 ff. Cp. the broken style of Herodes' speech here with tha
in Act I, sc. 4 (ll. 500 ff.), where he is moved by similar emotion

657. **Jch feh' Dich noch.** Joseph's impulse to reassure himse
foreshadows his weakness in the vital conversation with Mariamn
in Act II, sc. 5.

ACT II

673 ff. See note to ll. 38 f. It is characteristic of Hebbel
dramatic methods that the more vivid and significant detai
(„mit der blanken Waffe", „Sich an die Säule lehnte", „Uns Al
überzählte, Kopf für Kopf") that illuminate the character of Herode
should be supplied in this second reference to the episode.

720 f. Cp. ll.1206 ff., where a vivid detail is added by Titus.

724 ff. and 743. An account of the foreign practices introduce
by Herod is given by Josephus (Antiquities, Bk. XV, ch. viii
He instituted the celebration of solemn games every fifth yea
and contests of all kinds. "He also got together a great quantit
of wild beasts, and of lions in very great abundance, and of suc
other beasts as were either of uncommon strength, or of such
sort as were rarely seen. These were trained either to fight on
with another, or men who were condemned to death were t
fight with them. And truly foreigners were greatly surprise
and delighted at the vast expense of the shows, and at the grea
danger of the spectacles, but to the Jews it was a palpable break
ing up of those customs for which they had so great a venera
tion." This passage is subsequent to the account of Mariamne
death in the Antiquities.

770 f. **Die felbft Pompejus . . .** An account of the siege of Jeru
salem by Pompey is given in the Antiquities (Bk. XIV, ch. iv
Josephus adds : "And no small outrage was committed in th
Holy of Holies, which before had been inaccessible and seen b
none ; for Pompey went into it, and not a few of those that wer
with him also, and saw all that it was unlawful for any men t
see but the high priests."

779 f. An image associated with landscape familiar to Hebbe
in his childhood in Dithmarschen.

ff. This *motif* is taken up again in Act V, sc. 4, where
les' interpretation gives a different turn to Sameas' oath
50 ff.).

f. The connexion of „Missethat" and „Heldenthat" recalls a
r connexion in *Judith* (Act III) :

„Der Weg zu meiner That geht durch die Sünde!"

ff. Herod's practice of giving large presents of money to
y is referred to more than once by Josephus (*e.g.*, Bk. XIV,
, xiii, xiv, xvi ; Bk. XV, ch. i).

. Der Rückgrat. Hebbel follows the older custom of the
line gender. The neuter, commonly used, does not go
farther than Goethe.

. Kein Hirkan, wenn auch seine Tochter. The reference is to
ldness of temper of Hyrcanus (mentioned in the *Antiquities*,
V, ch. vi), considered to be cowardice by Alexandra (cp. ll.
76, 981).

–80. In these lines Alexandra recognizes the advantage of
as' intimacy with the common people ; „Fischer" (no doubt
sted by „Jonas" in l. 876) is used as a typical term for the
trader, whose casual hospitality Sameas has enjoyed. Cp.
, where Sameas again alludes to his hold upon the populace.

. läuft. A provincial form, probably prevalent in Hebbel's
district in his childhood. It occurs also in *Der Diamant*
, sc. 5), where it is used by the peasant Jacob, and in
el's notes for a tragedy on *Christian II*, in 1851 (*Werke, ed.
ol. v, p. 273). Hebbel also used the form lauft (*Michel
, Act I, l. 114, and *Siegfrieds Tod*, Act IV, sc. 4, l. 1950).

. Josephus relates, in connexion with Herod's introduction
ectacles, that ten of the citizens of Jerusalem conspired
t him, on account of his violation of ancient customs :
there was a certain blind man among these conspirators,
as moved by indignation in consequence of what he heard
een done ; he was not indeed able to afford the rest any
ance in the undertaking, but was ready to undergo any
ng with them, if they should come to any harm, insomuch
e became a very great encouragement to the conspirators"
V, ch. viii).

f. Aeltermütter, Wie Aelterväter. Altermutter, Altervater
Altmutter, Altvater), formerly used for great-grandparents,
w replaced by Urgroßmutter, Urgroßvater. But the words
also bear the wider meaning of ancestors, and they appear
so here.

. Durch Judiths Schwert . . . The figure of Judith recurred
ntly to Hebbel's mind when he was writing *Herodes und
mne*. Here and in ll. 1000 f. a contrast is deliberately drawn.

Later (ll. 2463 ff. and 2484 f.) Titus compares Mariam
Judith. Cp. also Hebbel's letter to Bamberg of Feb. 3,
„fie [Mariamne] ift fdjön, wie Judith erhaben" (*Briefe, ed. cit.,*
p. 145). **Rahabs Nagel.** Rahab appears to have been writ
error for **Jael.** H[1] has „. . . durdj jenes Weibes Nagel" and
this in brackets **der Radjibin.** R. M. Werner (*Werke, ea*
vol. ii, pp. 437 f.) draws attention to a letter from Heb
Pastor Kolbenheyer of Dec. 7, 1854 : „Für die Berichtign
Herodes und Mariamne danke idj Jhnen fehr; mein fonft
Gedädjtniß hat mir da einen Streidj gefpielt" (*Briefe, ed. cit.,*
p. 201), and surmises that a correction on this point was s
Hebbel.

985. **für Edoms Schwert.** With Herod began the Idu
dynasty that ruled over Judea till it was conquered b
Romans.

1102. **Der Tod wirft einen Schatten.** Cp. ll. 1359, 2526, 2
for ironic reversal of this thought.

1134 ff. Accusations made to Antony against Herod h
principal men of the Jews are recorded by Josephus (Bk.
ch. xii and xiii), but in a more general manner.

1158 ff. Josephus relates how the Alexandra here cit
herited the kingdom from her husband Alexander, who a
her on his death-bed to be reconciled to the Pharisees
whom he had been at enmity. She followed this advice, ".
pacified their anger against Alexander, and made them her f
and well-wishers", and reigned nine years till she died (*Antiq*
Bk. XIII, ch. xvi).

1176. **den großen Judas.** An account of the acts and
death of Judas Maccabæus is given by Josephus in the
quities (Bk. XII, ch. vi–xi) ; cp. also the Books of the Mac
(I, iii–ix, II, viii–xv). Cp. also l. 2830.

1230 ff. This motive for Herod's actions against the fan
Hyrcanus is suggested in the narrative of Josephus (Bk
ch. vi, vii).

1337 ff. It is the sequence of ideas, rather than their
expression, that recalls to Mariamne's mind the argume
Herodes in Act I (ll. 409 ff., 454–64). Joseph's wor
ll. 1344 f. faintly echo the words of Herodes to him (ll. 619

1356 f. **So war das mehr, Als eine tolle Blase des G**
A. M. Wagner (*Das Drama Friedrich Hebbels*, p. 17),
attention to Hebbel's use of this image in *Der Diamant* (A
sc. 6) : „die hohle Blafe, die das Nidjts empor trieb . . ." ;
Tagebücher, ii, 2653 : „Die Sünde ift die Luftblafe im Waf
zerfpringt und der Strom wallt wieder fo eben, wie zuvo
ii, 2721 : „mit den bunten Blafen der Erfdjeinung fpielen" ;
a review for the *Telegraph* (1839) : „So mag denn audj ein C
fteller, der fein Herz fo lange umrührt, bis es Blafen aufwirft,

)len Blasen immerhin die höchsten Namen beilegen" (*v. Werke, ed.*
., vol. x, p. 381).

1415. The isolation of this announcement in a one-line scene
:ensifies its effect as a close to the act.

ACT III

1443. **starren.** A favourite adjective with Hebbel in this play.
. ll. 1142, 1453 (altered from „zorn'ge" in H¹), 1743, 2704, 3012.

1469 ff. The description of Antony's treatment of the king,
dressed to Soemus, is clearly aimed at Alexandra's hopes ; cp.
1674 ff., where Herodes gives a truer picture to Mariamne.

1476. **Muränen.** murēna (muræna), a sea-fish considered a
)ice dish by the Romans.

1535 f. **Jede Larve zu tragen . . .** The dramatic irony is two-
d : Mariamne's behaviour here is a genuine expression of her
ling of resentment ; when in Act IV she does in fact wear a
isk, Herodes accepts her behaviour at its face value. Mariamne
rself uses the word „Larve" with emphatic repetition in Act V
3043, 3044, 3045).

1550 ff. A similar image occurs in the *Tagebücher* (Feb. 26,
17, *ed. cit.*, iii, 3987) : „Wenn alle Spinnen Einen Faden spännen,
re das Gewebe bald fertig, das die Sonne verfinstern könnte."

1561–5. The use of hyperbole here recalls the speeches of
)lofernes in Acts I and IV of *Judith*. Cp. also the later
:eches of Herodes, ll. 1871 ff., 1911 ff., 3282 ff.

1569. **entboten.** An effective echo of Herodes' own use of the
rd in his description of his visit to Antony (ll. 1483 and 1484).

1570 f. Although there is no stage direction, this speech is
arly an aside (cp. ll. 1791–2 ; also *Introduction*, p. xxxiii).

1606–7. **Er läßt Zum Opfertod ihr nicht einmal die Zeit.** The
lication of Mariamne's real mind in this sentence (and in
1608 ff.) escapes Herodes, who is obsessed by the realization
her knowledge of his orders.

1640–1. The gradual extension of Mariamne's tolerance can
seen if these lines are compared with ll. 302 ff. and 1901 ff.

1646. An ironic anticipation of events.

1651–2. The logic of Herodes' argument recalls similar pro-
ses of mind in Golo. Cp. *Genoveva*, Act II, sc. 2, ll. 506 ff. ;
t III, sc. 10, ll. 1549 ff. ; Act III, sc. 12, ll. 1695 ff.

1664. Cp. ll. 1829, 3095 for the use of „Dämon".

1684 ff. This is the first ringing expression of Mariamne's inner
nd in relation to Herodes' action. That she expresses it indi-
es the possibility of reconciliation, more clearly stated in
1900 ff.

1738. **das rasche Wort.** A reference to ll. 1626 ff.

1762. **die mich schrecken wird.** „wird" here is ironical.

1777. **Daß mir nicht einmal Zeit blieb.** Cp. the phrase, with emphasis on swiftness, with that in l. 1607.

1779. **den Platz des Urias.** v. 2 Samuel, xi, 15.

1791–2. The first of several important asides in this sce (cp. ll. 1798 ff., 1803 ff., 1822 ff., 1900 ff., also *Introduction*, xxxiii).

1810. This stage direction is vital to the scene.

1875–86. The second important expression of Mariamn mind. Cp. *Tagebücher*, May–June, 1848 (*ed. cit.*, iii, 440 „Es kommt zuweilen wie für den einzelnen Menschen, so für ein gar Volk ein Moment, wo es über sich selbst Gericht hält. Es wird i nämlich Gelegenheit gegeben, die Vergangenheit zu repariren und der alten Sünden abzuthun. Dann steht aber die Nemesis ihm linken Seite und wehe ihm, wenn es nun noch nicht den rechten D einschlägt. So steht es jetzt mit Deutschland." Herodes' reply Mariamne's words shows clearly their growing estrangement.

1891 f. Only here and in ll. 3087 ff. is any reference made Mariamne's motherhood, on each occasion to emphasize failure of her appeal on the ground of her own personality.

1948 ff. There is here a striking likeness to Golo's monolo in Act III of *Genoveva* (sc. 12, ll. 1695 ff.).

1962 ff. These lines prepare the way for the issue of the sec betrayal of Herodes' commands. The key phrase to the act of the play is in the concluding words of this act: „Es gilt Probe!"

ACT IV

2086 f. In fact the deaths of Antony and Cleopatra occurre the year following the battle of Actium; but this alteration made necessary by the concentration of the expeditions of Hero

2114. An allusion to the assassinations after the format of the triumvirate in 43 B.C., and perhaps to the alleged sacri of 300 defenders of Perusia by Octavianus at the altar of his un in the following year.

2139 ff. This is the third important expression of Mariam mind in respect of her relations with Herodes. Cp. also words to Titus in Act V (ll. 2988 ff.). The note of finality trasts with that of anger on the first discovery (ll. 1359 f.).

2157 f. These lines were substituted in the published ver for the following:

> „Zur Nacht ein Fest! Ich will dem Bilde gleichen,
> Das er im Herzen tragen muß von mir!
> Er sieht mich immer tanzen, das ist klar,
> Selbst, wenn ich weine und in Qual vergehe,
> Drum will ich tanzen — laßt die Cymbeln schallen! —
> Damit er nicht vor mir erröthen darf!"

The gist of these cancelled lines is expressed in ll. 2442 ff.

2161. **die brennen wollen.** "that are capable of burning", ~~t~~hat do not refuse to burn" (*i.e.*, all candles in a well-kept ~~h~~ouse.

2203. **zum Ding herabgesetzt.** This is the ultimate expression ~~of~~ Mariamne's feeling. From now onwards until her conversa~~tio~~n with Titus in Act V, sc. 6, she expresses nothing directly of ~~he~~r inner mind.

2211. **nicht dem Stamm und der Geburt.** Josephus relates that ~~Ma~~riamne reproached Herod's sister and mother with the mean~~ne~~ss of their birth (Bk. XV, ch. iii). Cp. ll. 2628 ff. Hebbel ~~tra~~nsfers this sentiment with great effect to Alexandra.

2230. **das erste Weib.** „erste" here denotes quality.

2263. Cp. ll. 2268 ff. and 2285 ff. for a fuller explanation. ~~Th~~e idea is recorded in Hebbel's diary on July 12, 1848: „Ein ~~Me~~nsch, als Uhr, die Zeit an den Pulsschlägen abzählend: 60 — eine ~~Mi~~nute . . ." (*Tagebücher, ed. cit.*, iii, 4424), and there is a specific ~~ref~~erence to the figure of Artaxerxes on May 5, 1853: „Auf dem ~~Ma~~rkusthurm mein Artaxerxes, ein Mann, der die Stunden auf der ~~Glo~~cke anschlägt" (iii, 5144).

2285. **Am Hofe des Satrapen.** Mention is made in the *Anti*-~~qui~~*ties* (Bk. XIV, ch. xiii), of Barzapharnes, a satrap of the ~~Pa~~rthians, against whom Herod fought.

2389. **So willst Du Dich nicht zu den Römern flüchten.** In the ~~An~~*tiquities*, Alexandra's project of fleeing to the Roman legions, ~~on~~ the report of Herod's death, is connected with the first of ~~He~~rod's expeditions to Antony (Bk. XV, ch. iii).

2452. A reference to this line occurs in Hebbel's diary on ~~Aug.~~ 22, 1848, where he records the fact that an annoying ~~inci~~dent has put an end to his "poetic mood": „. . . Man sollte ~~vors~~ichtig werden; die Stimmung des Dichters hat zu viel vom ~~Nac~~htwandeln, sie wird eben so leicht gestört, wie der Traum-Zustand, ~~wenn~~ in dieß geschieht. Sonderbar ist es, daß ich in einer solchen ~~Sti~~mmung immer Melodieen höre, und das, was ich schreibe, darnach ~~klin~~ge; so dieß Mal vorzüglich die Stelle:

,Titus, Du siehst, wie meine Tochter trauert!' "

~~Ta~~*gebücher, ed. cit.*, iii, 4435).

2497 ff. The dream which Mariamne relates, and which leads ~~to~~ the climax of the entrance of Herodes, was based on an ~~actu~~al dream told to Hebbel by his wife and recorded by him ~~in h~~is diary on June 3, 1847: „Einen himmelschönen und doch ~~entv~~ollen Traum hat Tine gestern Nacht gehabt. Ihr wird von ~~ein~~er ihrer Colleginnen am Hofburgtheater in einem hohen gewölbten ~~Zim~~mer ein Spiegel gezeigt, in welchem sie ihr ganzes Leben sehen ~~soll~~e. Sie schaut hinein und erblickt ihr eignes Gesicht, erst tief-~~kin~~dlich, von Rosenlicht umflossen, so jugendlich-unbestimmt, daß sie ~~er~~st bei der dritten oder vierten Verwandlung erkennt, dann ohne

Rosenlicht, nun bleicher und immer bleicher, bis sie zuletzt mit Entsetz ausruft: nun kommt mein Geripp, das will ich nicht sehen! und abwendet. Der Spiegel selbst war Anfangs trübe, wie angelaufen u wurde nach und nach heller, wie die Gesichter deutlicher wurden. Mein Gedanke, daß Traum und Poesie identisch sind, bestätigt mir mehr und mehr" (*Tagebücher, ed. cit.,* iii, 4188). A comparis shows the skill with which Hebbel used the details already giv added others (*e.g.,* „angelaufen, wie vom Hauch des Athmenden", „ immer röther, immer dunkler ward", „das Licht ward aschenfarb „so bleich, Als hätt' ich unter diesem Prachtgewand Schon längst allen Adern still geblutet"), and related the whole, by means of interjected reference to Herodes, to the latter's entry. Mariamn exclamation at the beginning of the next scene thus forms b the climax of the dream and the opening of the last phase, which her actual experience reaches the conclusion foreshadov by the dream.

2564 ff. For the relevant passage in the *Antiquities, v.* pendix F. According to Josephus this interview with Augus took place on Herod's second expedition.

2575 ff. This incident is recorded by Josephus (*Antiquit* Bk. XV, ch. vii) in connexion with Herod's third journey, a he had received the news of the deaths of Antony and Cleopa Augustus then made Herod a present of Cleopatra's body-gua and restored to him the territory which she had taken a from him ; he also gave Herod additional lands and cities.

2588 ff. The broken lines and constant alternation of add reveal the force of Herodes' passion and anger.

2605–10. In the first version these lines (with very sl variations) occurred in Mariamne's retrospect (ll. 2511– That Herodes himself here recalls them to point the cont adds poignancy to the final scene of the act. The idea pressed in them is noted in Hebbel's diary for Jan. 22, 1 „Einen Zauber sollte wahre Liebe ausüben, den, daß zwei Herzen in einander aufgehen, nicht getrennt werden, sondern nur zusam sterben könnten; das sollte ihre Probe seyn und so sehr, daß auc Entfernte stürbe in dem Moment, wo der oder die Andere gestr wäre" (*Tagebücher, ed. cit.,* iii, 3926).

ACT V

2694–5. Note the echo of „Perlen" (cp. Act I, sc. 3), to sha the irony.

2734 ff. Cp. this hyperbolic utterance with ll. 3282 ff.

2826. **Reigen.** The word „Reigen" (M.H.G. rei(g)e) is here in the general meaning of an ordered movement (such as th a solemn dance or procession)—a line which may open fo entrance of a newcomer.

889 ff. It is a bold stroke of irony that these words of ·odes should thus recall to our minds that repetition which is ·ey-point in the tragic action. The stage direction indicates t Mariamne is shaken from her immobility by the temptation point the ironic contrast between Herodes' words and her ·erience.

·913 f. The idea is echoed by Titus in ll. 2940 f.

·925. The striking irregularity of accent here is an indication ·he suppressed violence of Mariamne's feelings.

·935 f. Cp. two entries in Hebbel's diary for Sept. 20, 1847, Feb. 20, 1848 (in each case the entry is isolated and in ·tation marks) : „Nur den Mord würd' ich entschuldigen, der dem ·der so viel Jahre zulegte, als der Gemordete einbüßte!" (ed. cit., ·4283) and „Ja, würden die Jahre dessen, den ich tödtete, meinen ·legt, dann—" (ibid., 4367).

·981 ff. This picture of Cæsar was present to Hebbel's mind ·h earlier. An entry in the diary records it in relation to ·ood of depression : „Könnt' ich nur wenigstens meinen Schmerz ·tief in mich verschließen, könnt' ich mich vor ihnen verbergen, daß ·icht mit Fingern auf mich zeigen! Cäsar, als er ermordet wurde, ·te sich in seine Toga ein, Niemand, der den Stolz des Weltüber·ders gesehen hatte, sollte sich berühmen können, sein durch die ·ter des Todes entstelltes Gesicht gesehen zu haben. Aber auch dies ·ur einem Cäsar vergönnt!" (Tagebücher, ed. cit., ii, 2574).

·039–3042. These lines were originally in Act IV, sc. 3 (instead · 2167).

·120 ff. This is an example of disclosure by allusion (cp. ·oduction, p. xxviii).

·133 ff. In a letter to Felix Bamberg of Aug. 31, 1850, Hebbel ·es with appreciation Bamberg's interpretation of the play, adds : „Besonders Ihre Bezeichnung der heiligen drei Könige als ·chender Wachs=Figuren trifft ganz meine Intention, die hier auf ·Holzschnitt=Styl ging" (Briefe, ed. cit., vol. iv, p. 243). There ·ndeed a marked effect of symmetry in the dialogue that ·ows.

·217 ff. The notion of „Elemente" which make up life is ·uently expressed by Hebbel. Cp. Tagebücher, Nov. 11, 1843 : ·e höchste Form ist der Tod, denn eben indem sie die Elemente zur ·alt kristallisirt, hebt sie das Durcheinanderfluthen, worin das Leben ·ht, auf" (ed. cit., ii, 2846).

·272 f. This is the final allusion to the figure of Aristobolus, ·'shadowy third" (cp. Introduction, p. xxvii).

·282–9. The hyperbole of this speech is the expression of ·odes' character as much as is the resolve expressed in ll. 3290 f.
·inis was written at 11.30 a.m. on Nov. 14, 1848 (cp. Tagebücher, ·cit., iii, 4461).

APPENDICES

NOTE.—The extracts from Josephus quoted below are taken f
the *Works of Flavius Josephus*, translated by W. Whis
revised by A. R. Shilleto (Bohn's Standard Library), vol.
London, 1889.

APPENDIX A

Josephus relates that when Herod had slain Ezekias, a cap
of a band of robbers overrunning part of Syria, and a numbe
his followers, the chief men of the Jews caused him to be s
moned by Hyrcanus to a trial before the Sanhedrim for tr
gression of the law. Hyrcanus was, however, charged by
governor of Syria to clear Herod. "But when Herod stood be
the sanhedrim with his band of men about him, he frightened t
all, and none of his former accusers durst after that bring any ch
against him, but there was a deep silence, and nobody knew v
was to be done. When things were in this posture, one whose n
was Sameas, a righteous man and for that reason above all
rose up, and said, 'O king and members of the sanhedrim, nei
have I ever myself known such a case, nor do I suppose that
one of you can name its parallel, that one who is called to tak
trial by us ever stood in such a manner before us ; but every
whoever he be, that comes to be tried by this sanhedrim, pres
himself in a submissive manner, and like one that is in fear,
endeavours to move us to compassion, with his hair disheve
and in a black mourning garment : but this most exce
Herod, who is accused of murder, and called to answer so h
an accusation, stands here clothed in purple, and with the ha
his head finely trimmed, and with armed men about him, th
we shall condemn him by our law, he may slay us, and by l
too strong for justice may himself escape death. Yet I do
blame Herod for this, if he is more concerned for himself tha
the laws ; but I blame you and the king, who give him licen
do so. However, know that God is great, and that this
man, whom you wish to let go for the sake of Hyrcanus, wil
day punish both you and the king himself also.' Nor was Sa
wrong in any part of this prediction ; for when Herod had go
kingdom, he slew Hyrcanus and all the members of this sanhe
except Sameas, for he honoured him highly on account of hi
rightness, and because, when the city was afterwards besiege
Herod and Sosius, he advised the people to admit Herod int
and told them that for their sins they would not be able to e
him." (*Antiquities of the Jews*, Bk. XIV, ch. ix.)

APPENDIX B

". . . As they [Herod and Aristobulus] stood by the fish
ds . . . they proceeded to cool themselves [by bathing],
ause it was the noon of a very hot day. At first they were
y spectators of Herod's servants and acquaintances as they
e swimming, but after a while, the young man, at the sugges-
of Herod, went into the water among them, while such of
od's acquaintances as he had appointed to do so ducked him,
e was swimming, and plunged him under water, as the dark-
came on, as if it was in sport only, nor did they desist till he
entirely suffocated. And thus was Aristobulus murdered,
ing lived no more in all than eighteen years, and had the high
sthood one year only. . . ." (Bk. XV, ch. iii.)

APPENDIX C

wo passages are relevant to this allusion :

) "Antipater . . . committed Galilee to Herod, his next
who was then quite a young man, for he was but twenty-five
s of age. But that youth of his was no impediment to him ;
as he was a young man of noble spirit, he soon met with an
ortunity of showing his courage. For finding that there was
Ezekias, a captain of a band of robbers, who overran the
hbouring parts of Syria with a great troop of them, he took
and slew him, as well as a great number of the robbers that
with him. For this action he was greatly beloved by the
ans, for they were very desirous to have their country freed
this nest of robbers, and he purged it of them : so they sung
s in his commendation in their villages and cities, for his
ng procured them peace, and the secure enjoyment of their
essions." (Bk. XIV, ch. ix.)

) "[Herod] set out for Galilee, to capture certain places. . . .
lso went thence, and resolved to destroy some robbers that
t in the caves, and did much mischief in the country. . . .
e caves were in mountains that were exceedingly steep, and
e middle had precipitous entrances, and were surrounded by
p rocks, and the robbers lay concealed in these caves with all
families about them. [There follows a detailed account of
levice by which armed men were let down in cases, and of
one of the armed men killed many with darts and pulled out
s with a hook, and caused great slaughter. Herod's men also
v fire into the caves.] . . . In this way all these caves were
agth subdued entirely." (Bk. XIV, ch. xv.)

APPENDIX D

" But as Antony was slow in granting this request [for the high priesthood for Aristobulus], his friend Dellius . . . when he saw Aristobulus, marvelled at the tallness and handsomeness of the lad, and no less at Mariamne the king's wife, and was open in his commendations of Alexandra, as the mother of most beautiful children. And when she had a conversation with him, he urged her to get pictures drawn of them both, and to send them to Antony, for he said Antony, when he saw them, would deny her nothing that she should ask. And Alexandra was elated with these words of his, and sent their pictures to Antony." (Bk. XV, ch. ii.)

In the *Jewish War* (Bk. I, ch. xxii) the episode appears in a slightly different light : "They [the women of Herod's house] also contrived many other things to make it [Mariamne's infidelity] appear more credible, and accused her of having sent her picture into Egypt to Antony, and in her extravagant lust of having thus shown herself, though she was absent, to a man that was mad after women, and had it in his power to force her."

APPENDIX E

"She [Alexandra] therefore sent to Cleopatra, and made a long complaint of the circumstances she was in, and entreated her to do her utmost for her assistance. Cleopatra thereupon advised her to take her son with her, and escape immediately to her into Egypt. This advice pleased her, and she planned the following contrivance for getting away : she got two coffins made, as if they were to carry away two dead bodies, and put herself into one, and her son into the other, and gave orders to such of her servants as knew of her intentions to carry them away in the night-time. Now their road thence lay to the sea-side, and there was a ship ready to carry them into Egypt. Now Æsop, one of her servants, happened to fall in with Sabbion, one of her friends, and spoke of this matter to him, thinking he already knew of it. When Sabbion got to know this (who had formerly been an enemy of Herod, and been esteemed one of those that had plotted against and given the poison to Antipater), he expected that this discovery would change Herod's hatred into kindness, so he told the king of this stratagem of Alexandra. And he suffered her to proceed to the execution of her project, and caught her in the very act of flight, but still passed by her offence : for though he had a great mind to do so, he durst not inflict any severe treatment upon her (for he knew that Cleopatra would not bear that he should have her accused, on account of her hatred to him), but made believe that it was rather his generosity of soul, and great moderation, that made him forgive her and her son. However, he fully determined to put the young man out of the way, by one means or other ; but he thought he would probably evade notice in doing so, if he did not do it quickly, or immediately after what had just happened." (Bk. XV, ch. iii.)

APPENDIX F

"When he had given them this charge he set out post haste to Rhodes to meet Augustus, and when he had sailed to that city, he took off his diadem, but remitted nothing else that marked his rank. And when, upon his meeting Augustus, he desired that he would let him speak to him, he therein exhibited much more the nobility of his great soul, for he did not betake himself to supplications, as men usually do upon such occasions, nor did he offer any petition as if he were an offender, but gave an account of what he had done with impunity. He made the following speech to Augustus. He said that he had had the greatest friendship for Antony, and done everything he could that he might be master of the world, that he was not indeed in the army with him, because the Arabians had diverted him, but that he had sent him both money and corn, which was but too little in comparison with what he ought to have done for him. 'For' (he added), 'if a man owns himself to be another's friend, and knows him to be a benefactor, he ought to hazard everything, to use every faculty of his soul, every member of his body, and all the wealth he has, for him, in which I confess I have been too deficient. However, I am conscious to myself that so far I have done right, in that I did not desert him after his defeat at Actium ; nor upon the evident change of his fortunes did I transfer my hopes from him to another, but preserved myself, though not as a valuable fellow-soldier, yet certainly as a faithful counsellor to Antony, when I suggested to him that the only way that he had to save himself, and not to lose all his authority, was to put Cleopatra to death ; for when she was once dead, there would have been room for him to retain his authority, and I recommended him rather to bring thee to make a composition with him, than to continue at enmity with thee any longer. None of which advice would he attend to, but preferred his own rash resolution, which has happened unprofitably for him, but profitably for thee. Now therefore, in case thou determinest about me, and my zeal in serving Antony, according to thy anger at him, I cannot deny what I have done, nor will I disown, and that publicly too, that I had a great kindness for him ; but if thou wilt put him out of the case, and only examine how I behaved myself to my benefactors in general, and what sort of friend I am, thou wilt find by experience that I shall do and be the same to thyself. For it is but changing the names, and the firmness of friendship that I shall bear to thee will not be disapproved by thee.'

By this speech, and by his behaviour, which showed Augustus the openness of his mind, he greatly gained upon him, as he was himself of a generous and noble character, insomuch that those very actions, which were the foundation of the accusation against him, won him Augustus' favour. Accordingly, he restored him his diadem again, and exhorted him to show himself as great a friend to him as he had been to Antony, and held him in great esteem." (Bk. XV, ch. vi.)

SELECT BIBLIOGRAPHY

I

Herodes und Mariamne. Eine Tragödie in fünf Acten von Friedrich Hebbel. Wien. Verlag von Carl Gerold. 1850.

Friedrich Hebbel: Sämtliche Werke. Historisch-kritische Ausgabe besorgt von R. M. Werner, 2te Auflage, Berlin, 1904 ff.

I^{te} Abteilung : *Werke.* 12 vols. [esp. vol. ii].

II^{te} Abteilung : *Tagebücher.* 4 vols.

III^{te} Abteilung : *Briefe.* 8 vols.

Hebbels Werke. her. von F. Zinkernagel, Leipzig und Wien [1913].

Friedrich Hebbel's Herod and Mariamne. A free adaptation by Clemence Dane. London [1939].

Flavius Josephus. *Works.* Translated by W. Whiston, revised by A. R. Shilleto (Bohn's Standard Library), vol. iii, London, 1889.

Flavius Josephus. *Des Fürtrefflichen Jüdischen Geschicht-Schreibers Flavii Josephi Sämtliche Wercke . . .* Mit vielen Anmerckungen wie auch accuraten Registern versehen und ausgefertiget von Johann Friderich Cotta, der Theologie und Orientalischer Sprachen Professorn auf der Königl. Gross-Britannischen Universität Göttingen. Tübingen, 1736.

Flavius Josephus. *Des Vortrefflichen Jüdischen Geschicht-Schreibers Flavii Josephi Sämtliche Wercke . . .* Mit beständigen Anmerckungen, nicht alleine über die Alterthümer, sondern auch über die übrigen Bücher, erläutert, von Johann Baptist Ott, Canonico und Archidiacono des Stiffts zu Zürich. Zürich, 1736.

II

Bornstein, P. *Hebbels 'Herodes und Mariamne.'* Vortrag. Hamburg und Leipzig, 1904.

Dosenheimer, E. *Das zentrale Problem in der Tragödie Friedrich Hebbels.* Halle, 1925.

Kuh, E. *Biographie Friedrich Hebbels.* 3te Auflage, Wien und Leipzig, 1912.

Landau, M. 'Die Dramen von Herodes und Mariamne,' in *Zeitschrift für vergleichende Literaturgeschichte*, Neue Folge, VIII (Weimar, 1895) and IX (1896).

Meyer-Benfey, H. *Hebbels Dramen.* Göttingen, 1913.

Purdie, E. *Friedrich Hebbel. A Study of his Life and Work.* London, 1932.

Rees, G. B. *Friedrich Hebbel as a Dramatic Artist*. London, 1930.

Reinhardstoettner, C. von. *Aufsätze und Abhandlungen, vornehmlich zur Litteraturgeschichte*, Berlin, 1887 (containing 'Über einige dramatische Bearbeitungen von Herodes und Mariamne').

Schmitt, S. *Hebbels Dramatechnik* (Schriften der Literarhistorischen Gesellschaft Bonn, I), Dortmund, 1907.

Wagner, A. M. *Das Drama Friedrich Hebbels*. Eine Stilbetrachtung zur Kenntnis des Dichters und seiner Kunst (Beiträge zur Ästhetik, ed. T. Lipps and R. M. Werner, XIII), Hamburg und Leipzig, 1911.

Walzel, O. *Hebbelprobleme*. Leipzig, 1909.

Zinkernagel, F. *Die Grundlagen der Hebbelschen Tragödie*. Berlin, 1904.